Complot op het spoor

Eveneens verkrijgbaar in deze reeks:

Arend van Dam
Schildknaap op het Muiderslot

Martine Letterie
Fakkels voor de prinses
Aanval op het fort

Kijk ook op www.martine letterie.nl

www.arendvandam.nl
www.leopold.nl

Arend van Dam

Complot op het spoor

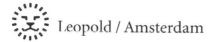 Leopold / Amsterdam

NEDERLANDSE
KINDERJURY
2006

L	E	E	S	
L	Leeservaring A B C D E F G H			
A	AVI 1 2 3 4 5 6 7 8 9			
T	Thema Detective, historie			

vanaf 10 jaar

Toegekend door KPC Groep te 's-Hertogenbosch.

Inhoud

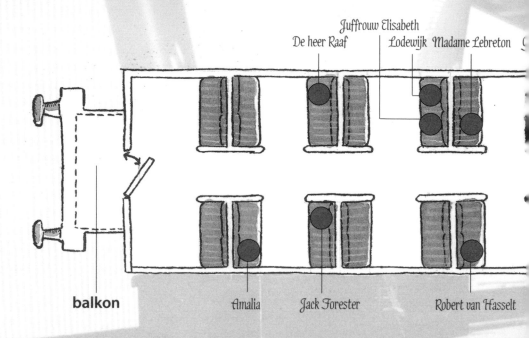

Juffrouw Elisabeth
De heer Raaf   Lodewijk   Madame Lebreton

balkon   Amalia   Jack Forester   Robert van Hasselt

Het eersteklasrijtuig van de Nestor.

Wie zit waar in de coupé van Amalia?

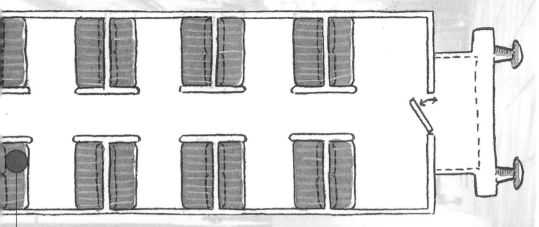

Pierrefonds

Nary Debenham

balkon

Het lijk in de kist

Het moment van het afscheid was het moeilijkst. Als ze eenmaal in de trein zat, zou dat zenuwachtige gevoel vanzelf
verdwijnen. Amalia keek naar haar moeder. Die was nog
meer gespannen dan zij. Niets laten merken maar. Net doen
of het haar niets deed om alleen op reis te gaan.

'Zul je opletten?'

'Ja, mama.' Amalia ging op een van haar koffers zitten. Ze
had hem vlak naast een grote houten kist gezet. De trein
stond al een poosje klaar. Waar bleef de kruier die haar spullen in het rijtuig kon tillen?

Haar moeder keek speurend om zich heen. Amalia
begreep het wel. Mama vond het maar niets dat haar doch-
ter alleen zo'n grote reis moest gaan maken: helemaal naar
Parijs. Voorbij Parijs zelfs, naar het dorpje Le Vésinet, waar
haar oom en tante een buitenhuis bezaten. Maar wat kon er
onderweg gebeuren? Niets toch! Reizen per spoor was al net
zo gewoon geworden als de trekschuit en de diligence. Hoewel, konden treinen niet ontsporen? Zaten ze niet vast aan
die ijzeren staven, zodat ze op tegenliggers konden botsen?

'Amalia!' Haar moeder gaf een tikje op haar schouder. 'Zie
je die vrouw daar, met die kleine jongen? Ze is vast zijn gouvernante. Ik zal haar vragen om een oogje in het zeil te houden.'

'Mama, dat wil ik niet!' Amalia sprong op. 'Heus, er hoeft
niemand op mij te passen!'

Juist op dat moment kwam een jongen van haar eigen

leeftijd langslopen. Hij botste bijna tegen haar op.

'Kun jij mijn spullen niet naar mijn coupé brengen?' vroeg Amalia.

'Nou, nee, eigenlijk niet,' zei de jongen aarzelend. 'Ik, eh... ik ben het hulpje van de stoker.'

Nu zag Amalia het pas. De jongen had smerige kleren aan en zwarte vegen op zijn gezicht.

'Laat maar,' wilde ze zeggen. Maar de jongen had haar koffers al opgepakt.

'Is die kist ook van jou?' vroeg hij.

Ze keek naar het perron. In een flits zag ze naast de kist een voorwerpje liggen dat als een spiegeltje de zon reflecteerde. Als het een knoop was, kwam hij in ieder geval niet van een kledingstuk dat zij kende.

'Nee, natuurlijk niet,' riep ze terug. Ze moest het op een drafje zetten om de jongen bij te houden.

Even later zat Amalia op haar gereserveerde plekje bij het raam. Schuin tegenover haar zat een man nerveus aan de punten van zijn snor te draaien. Hij keek naar de mensen in de coupé, richtte zijn blik op het perron en dan weer op de bagage in de rekken boven hem. Amalia glimlachte. Zelfs grote mensen konden doodzenuwachtig worden van het idee in een trein op reis te gaan.

De andere reizigers gedroegen zich heel wat kalmer. Wat verder weg zaten twee dames. De een sober, maar deftig, in het zwart. De ander veel eenvoudiger, in grijs en bruin. Met een wit zakdoekje veegde ze de deftige dame het zweet van het voorhoofd.

Boven een van de banken uit zag Amalia het glimmende achterhoofd van een kalende man. Door de tussendeur naar de andere coupé van het rijtuig kringelde rook.

'Kom je bij ons zitten?' hoorde ze vragen.

Ze keek het gangpad in, recht in het gezicht van de vrouw die mama voor een kindermeisje hield.

'Je moeder heeft me gevraagd op je te letten.'

Amalia schudde haar hoofd. 'Dat is niet nodig, hoor.'

Op het zonovergoten perron was het een en al bedrijvigheid, zag ze. Twee mannen stonden bij de grote, langwerpige kist. Ze maakten drukke gebaren.

Het was warm in het eersteklasrijtuig. Amalia deed haar hoed af. Waar was het wachten op? Kon de machinist niet een beetje opschieten? Stook op, die ketel! Laat de stoomfluit horen! Ze wilde naar Parijs.

Plotseling sprong de man met de puntsnor op en verliet de coupé. Ze hoorde hem roepen: 'Waar wachten we op? Waarom wordt die kist niet in de trein gezet?'

Iemand vroeg: 'Is hij van u?'

'Nee, dat heb ik toch niet gezegd.'

De perronchef boog zich ver voorover. Hij leek een poging te doen iets te lezen dat op de kist geschreven stond. Maar hoofdschuddend rechtte hij zijn rug weer. Het liefst zou Amalia net als de Puntsnor naar het balkon rennen om te zien wat er gaande was. Maar het leek haar niet gepast voor een meisje van haar stand.

'We moeten eerst weten van wie die kist is!' De discussie op het perron duurde voort. 'Hij moet van iemand in dit rijtuig zijn!'

'Zet hem dan op het balkon!'

De conducteur kwam langs om de deuren te sluiten. Amalia zwaaide naar haar moeder. De machinist trok aan de stoomfluit. Maar er kwam geen beweging in de trein.

Op het perron groepten steeds meer mensen samen rond de kist. De perronchef stak een breekijzer tussen het deksel en de opstaande rand.

Uitgerekend op dat moment gingen twee mannen met zwarte hoge hoeden op voor Amalia's raam staan. Kennelijk ging nu ook de politie zich met de zaak bemoeien.

Amalia rekte zich uit. Het viel niet mee nog iets van het tafereel te zien. De perronchef gebruikte het breekijzer om het deksel van de kist te wrikken.

Plotseling deinsde iedereen achteruit. Amalia zag een glimp van de inhoud van de kist. Een schoen en een been in een geruite broekspijp. Meer zag ze niet. Maar ze wist genoeg: in de kist lag een lijk!

Amalia liet haar blik door het rijtuig gaan. Zouden haar medereizigers het ook hebben gezien?

De gouvernante en het kind deden een spelletje ik-zie-ik-zie-wat-jij-niet-ziet. De gravin zat amechtig te hijgen met haar ogen dicht. Ze werd voorgelezen door haar begeleidster. Niemand in de coupé leek in de gaten te hebben wat er op het perron gebeurde.

Toen klonk er een gil. Vanuit haar ooghoeken zag Amalia een vrouw langzaam in elkaar zakken. Het was haar eigen moeder!

Amalia sprong op van haar bank. Ze moest naar buiten. Ze moest haar moeder helpen!

Maar voor ze het balkon bereikte, werd ze tegengehouden door de twee mannen met de hoge hoeden. De ene was klein en dik, de andere lang en dun. Maar hun hoeden waren even hoog.

'Wij verzoeken u rustig te blijven zitten,' zei de kleine.

'Zojuist hebben wij een merkwaardige ontdekking gedaan. Op het perron staat een kist. In die kist...'

'Stop, vertel niet te veel,' onderbrak de grote man hem. 'Ik ben er zeker van dat er onder de reizigers iemand is die precies weet wat wij in de kist hebben aangetroffen. Wij zijn genoodzaakt te wachten op de politie.'

Blijkbaar was hijzelf dus geen politieman. Amalia keek om zich heen. Was een van deze mensen een misdadiger, of misschien zelfs een moordenaar? Wie van hen had iets slechts op zijn geweten?

Ze haastte zich weer naar haar plaatsje aan het raam en keek recht in het gezicht van het hulpje van de stoker. Wat wist hij dat zij niet wist? Hij had de man in de kist gezien. Hij had haar moeder gezien.

Ze wenkte de jongen. Maar hij keek terug met een vragende blik in zijn ogen. Zo onnozel konden alleen jongens kijken!

Uitgerangeerd

Amalia drukte haar gezicht tegen het raam om een glimp op te vangen van haar moeder. Maar ze zag alleen haastig heen en weer rennende mensen. Van haar moeder geen spoor.

In de coupé waren de reizigers druk met elkaar in gesprek. Alleen de in het zwart geklede oude dame deed er het zwijgen toe.

Puntsnor praatte druk met de kleine dikke en de lange dunne. De kalende man beweerde op hoge toon dat hij directeur van de spoorwegen was en dat hij nog nooit zoiets had meegemaakt.

Alsof ze op school zat, stak Amalia haar vinger op. Ze probeerde de aandacht te trekken van de directeur.

'Meneer, meneer! Mijn moeder...'

Op het perron klonk het geluid van paardenhoeven en ratelende wielen. Een koetsje stopte vlak naast de trein. Een dikke man tuimelde naar buiten en hees zich zo snel hij kon het balkon op. Toen de deur openging, keken alle reizigers op.

'Hè, hè, net op tijd,' hijgde de man. 'Een zakenman komt niet graag te laat.' Zijn onderkinnen leken mee te deinen op het rijzen en dalen van zijn omvangrijke borstkas.

Meteen zette de trein zich in beweging. De dikke zakenman greep zich vast aan een leuning. Snel liet hij zich zakken op de lege plek tegenover Amalia.

Een rooksliert trok voorbij het raam en een doordringende brandgeur bereikte Amalia's neus. Het was de geur van op reis gaan, de geur van avontuur. Eindelijk was ze op weg. Ze wilde blij zijn, maar ze voelde een steen in haar maag. Hoe was het met haar moeder? Amalia voelde zich machteloos. Ze kon niets doen om haar te helpen.

Langzaam verdween station Maliebaan uit het zicht. Maar plotseling werd er geremd en kwam de trein midden op een overgang tot stilstand. Wat was er aan de hand? Een hond voor de wielen? Wat kon er allemaal nog meer misgaan?

Toen kwam de trein weer in beweging. Tot Amalia's verbazing reden ze nu achteruit. Via een paar wissels kwam het rijtuig op een afgelegen perron terecht.

De locomotief blies stoom af. Daarna bleef het stil.

'Wat is er aan de hand?' vroeg de zakenman geërgerd. Hij stond op en begon aan een van de raampjes te trekken.

'Ik ga kijken!' Een jonge vrouw met een sigarettenpijpje in de aanslag kwam de rookcoupé uitstormen en beende door het gangpad naar de balkondeur. Ze werd tegengehouden door de man die zich bekend had gemaakt als spoorwegdirecteur. Hij posteerde zich midden in het gangpad en zei met luide stem: 'Mag ik mij even voorstellen? Mijn naam is ingenieur Van Hasselt. Ik ben directeur van de Hollandse Spoorweg Maatschappij. Zoals u heeft gemerkt, heeft zich vlak voor het vertrek van deze trein naar Parijs iets ongewoons voorgedaan. Tot mijn spijt moet ik u meedelen dat ons rijtuig niet kan vertrekken tot deze zaak is opgelost. De tweede en derdeklasrijtuigen daarentegen...'

De zakenman viel hem in de rede. 'Dat kunt u niet menen! Ik heb een afspraak in Parijs!'

'Wij zijn afgekoppeld,' zei Van Hasselt. 'Alle andere rijtuigen zijn al op weg naar Parijs.'

De man met de puntsnor boog zich naar hem toe en zei iets tegen hem. Terwijl hij dat deed, haalde hij een kaartje uit zijn binnenzak en hield het hem voor.

Van Hasselt knikte langzaam. 'Bedankt voor uw aanbod,' hoorde Amalia hem zeggen. Toen richtte hij opnieuw het woord tot de andere aanwezigen in het rijtuig.

'Dames en heren, deze meneer hier is detective van beroep. Om helderheid in deze zaak te verschaffen, heeft hij aangeboden een lijst te maken van alle reizigers en hun bestemming. Ik verzoek u vriendelijk aan dit voorlopige onderzoek mee te werken. De verhoren – laat ik liever zeggen: de vraaggesprekken – zullen plaatsvinden in het restauratierijtuig. Dit deel van de trein blijft staan tot het mysterie is opgehelderd.'

Opnieuw ontstond er commotie. Iedereen praatte door elkaar. Maar de spoorwegdirecteur bleef als een rots midden in het gangpad staan, net zo lang tot alle reizigers weer waren gaan zitten op hun groene pluchen banken.

Amalia stak nog een keer haar vinger op.

'Meneer, mijn moeder...'

'Bij wie hoor jij?' De vraag werd haar gesteld door de detective.

'Ze hoort bij mij,' riep de gouvernante vanaf de andere kant van het gangpad. Amalia liet het maar zo.

De detective richtte daarop het woord tot de dikke zakenman: 'Mijn naam is Bertold Raaf. Ik wil u graag enkele vragen stellen. Gaat u met mij mee?'

Terwijl de detective zich omdraaide om de deur open te houden voor de zakenman, fladderde er een kaartje uit zijn zak. Het kwam tegenover Amalia op de bank terecht. Ze pakte het op en las: *Voor al uw inlichtingen: Bureau Raaf, Raaf & Raaf. Maliebaan 11, Utrecht.*

Juffrouw Elisabeth en Lodewijk

Amalia schoof onrustig heen en weer op het pluche. Hoe lang zou dit hele gedoe gaan duren? Raaf, de detective, ging alle reizigers ondervragen. En misschien ook wel de perronchef en de stokers, die afwachtend rondhingen op het perron.

Wat was er eigenlijk aan de hand? Alles wat ze wist was dat er een geheimzinnige kist was gevonden. Een kist met een lijk. Ze griezelde van het idee om op reis te gaan met de stoffelijke resten van een echt mens in de buurt. Misschien was het wel een aangeklede pop, zo'n pop die sommige luxewinkels gebruikten om kleding te laten zien. Daar zat wat in. Maar het voorval was kennelijk ernstig genoeg om de trein te laten stoppen en de reizigers aan de tand te voelen. Trouwens, haar moeder kon zich geweldig aanstellen, maar waarom zou ze een flauwte krijgen bij de aanblik van een pop...? Toch moest het een pop zijn. Een lijk reist niet met de trein.

Hoe zou zo'n detective te werk gaan?

Hij begon natuurlijk met het maken van een lijstje met de namen van verdachte personen. In gedachten maakte ze zelf ook zo'n lijstje:

1. Oude dame in het zwart. Ze was sober gekleed, maar het was duidelijk te zien dat zij van goeden huize was.

2. De gezelschapsdame van de oude dame in het zwart.

3. De gouvernante.

4. Een jongen van een jaar of acht.

5. Een zwaarlijvige zakenman met drie onderkinnen.

6. Een modieus geklede jonge vrouw. Zij leek de enige reiziger in de andere helft van het rijtuig, de rook-coupé.

7. De kalende spoorwegdirecteur Van Hasselt.

Alleen van deze laatste persoon wist Amalia de naam en het beroep. Wie waren de andere mensen? Ze zagen er allemaal even onschuldig uit. Allemaal een beetje gespannen, onrustig, bezorgd. Maar dat was zijzelf ook.

Hoewel ze bij het vertrek had besloten zich niet met de gouvernante in te laten, stond Amalia op en liep een bankje verder.

'Mijn naam is Amalia,' zei ze. 'Amalia Diefenbach.' Meer hoefde de gouvernante niet van haar te weten. Ze wachtte tot de vrouw zich op haar beurt zou voorstellen, maar dat deed ze niet.

'Het werd tijd dat je bij ons kwam zitten,' klonk het resoluut, maar niet onvriendelijk. 'Wat vervelend nou dat dit ons moet overkomen. Ik probeer net de jongeheer Lodewijk gerust te stellen. Het komt vast goed. Wat zei je? Diefenbach? Ik ken je familie wel. Hebben jullie niet een buitenhuis in Driebergen?'

Amalia knikte. 'Buitenlust. Ik kom er juist vandaan. Daar zijn we altijd in de zomer. 's Winters wonen we in Amsterdam.'

'Ik ook,' zei het jongetje. Het kind droeg een smetteloos blauw met wit matrozenpakje. Zijn gezicht was rond en blozend. Aan zijn ongeschonden knieën te zien speelde hij nooit buiten. Het was maar goed dat haar eigen knieën niet zichtbaar waren, die zaten onder de schrammen en de schaafplekken.

'Lieve kind, het komt allemaal wel goed,' zei de gouvernante voor de tweede keer. 'Maar om eerlijk te zijn: we leven in een tijd waarin de gekste dingen gebeuren. In de trekschuit heb ik zoiets nooit meegemaakt. Het is dat we een verre reis moeten maken, anders reisde ik liever in een koetsje. Met een eigen koetsier op de bok hoef je niet bang te zijn rare snoeshanen of misdadigers tegen te komen.'

'Waar gaat u dan naartoe?' waagde Amalia te vragen.

Het leek of de gouvernante aarzelde.

Amalia richtte zich tot de jongen en vroeg: 'Ga je ook naar Parijs?'

'Wij gaan naar Antwerpen,' zei de gouvernante. 'Iedereen gaat naar Parijs tegenwoordig. En vandaar naar Wenen. Boedapest schijnt ook een prachtige stad te zijn. Of wat denk je van Constantinopel? Men zegt dat het geweldig is om met de Oriënt-Express te reizen. Maar als je het mij vraagt, verplaats ik mij liever met het koetsje van de familie. Je zult wel begrijpen dat een diamantair niet graag afhankelijk is van vervoermiddelen die bestemd zijn voor de grote massa. Hij is zeer gesteld op zijn privacy.'

Amalia begreep dat de gouvernante op haar werkgever doelde.

'Juffrouw Elisabeth, ik moet nodig plassen,' zei de jongen plotseling.

De gouvernante keek speurend om zich heen. 'Meneer, meneer!' riep ze in de richting van de spoorwegdirecteur. 'De kleine jongen moet naar het toilet. Waar kan ik dat vinden?'

'Het spijt me, mevrouw,' zei Van Hasselt. 'Op dit perron ontbreken dergelijke voorzieningen.'

'Maar de jongen moet nodig! U kunt toch van een kind niet verwachten...' Ze maakte haar zin niet af.

Het kind zette het op een huilen. 'Ik wil naar huis. Ik wil naar huis.' De tranen sprongen uit zijn ogen.

Even speet het Amalia dat zij als meisje van dertien niet ongeremd kon gaan brullen. Ze voelde zich verloren.

'Tja, als het niet anders kan,' zei Van Hasselt aarzelend. 'Er is een toilet in het restauratierijtuig. Dat staat aan de andere kant van het perron.'

'Kom,' zei de gouvernante. Ze stond op, greep Lodewijk bij de hand en begon in de richting van de deur te lopen.

'Ik denk niet dat meneer Raaf het goed vindt als u de trein verlaat,' merkte de spoorwegdirecteur op.

'Dit is een noodgeval,' zei juffrouw Elisabeth. 'Je kunt een kind het niet in zijn broek laten doen.'

Amalia keek het tweetal na.

Toen sprong ze op en riep: 'Juffrouw Elisabeth, ik moet ook!' Ze rende door de deur het balkon op.

Jaap

Eenmaal buiten keek Amalia goed om zich heen. Dit deel van station Maliebaan was uitgestorven. Midden op het perron stond een vierkante krantenkiosk. Maar die was onbemand. Het papier van de kranten ritselde in de warme wind.

Lodewijk werd door zijn gouvernante het andere rijtuig in getrokken. Amalia bleef treuzelend achter op het perron.

Gelukkig zag ze een bekend gezicht. Het was de stokersjongen, die haar had geholpen met haar bagage. Hij kwam langzaam naar haar toe slenteren. Amalia aarzelde. Was het wel gepast om een gesprek met hem aan te knopen?

'Hallo,' zei hij. 'Je hebt groot gelijk dat je naar buiten komt. Het is veel te warm binnen.'

Ze knikte, deed een stap in zijn richting en vroeg: 'Zeg, wat weet jij van die kist?'

De jongen bleef op een paar passen afstand van haar staan.

'Er zat een man in,' gaf hij als antwoord.

'Ja, dat zag ik zelf ook wel,' zei ze vinnig. 'Hij had een ruitbroek aan. En verder?'

'Hij had twee stuks bagage bij zich. Een tas met geld en een koffer vol juwelen; edelstenen, diamanten, dat werk. Meer weet ik ook niet, want die man zweeg als het graf.'

'Ja, geen wonder, als je dood bent.'

'Hij was niet dood.'

Amalia was verbijsterd.

'Je bedoelt dat dat lijk in de kist niet dood was?'

De jongen knikte.

Amalia probeerde haar gedachten te ordenen. Al die tijd was ze er zeker van geweest dat de voet en het been dat ze had gezien, toebehoorden aan een dode. Hoe hard ze zich ook had ingebeeld dat etalagepoppen ook in kisten kunnen worden vervoerd. Maar het lijk in de kist leefde! Wat deed een levende man in een kist?

Ze keek naar de jongen tegenover haar. Zijn wangen waren dof en zwart, maar zijn ogen glinsterden.

'Hoe heet je?' vroeg ze.

'Jaap.'

'Jaap, waarom staat de trein dan stil op dit verlaten perron?'

'Misschien omdat de politie er eerst achter wil komen van wie die kist is?'

'Dat is geen antwoord, dat is een vraag,' zei Amalia. 'Dat kan die man hun toch vertellen?'

'Hij gaf geen antwoord op vragen. Hij keek alleen maar angstig om zich heen. Alles wat ik hem heb horen zeggen is: "Ik ben bang."'

'Heb je die kist gezien? Staat er iets op?'

Jaap knikte bevestigend. 'Ik geloof dat er wel iets op het etiket staat, maar het is onleesbaar. Daarom werd hij ook opengemaakt, om te kijken of er iets in zat. Dat geeft soms een aanwijzing.'

'En waar is die kist nu?'

Jaap maakte een gebaar met zijn hand. 'Daar ergens, naast de Blauwe Engel, dat is de bagageloods. Daar heeft mijn vader hem heengebracht. Dat moest van die man die een detective blijkt te zijn. Mijn vader vroeg nog: "En die man dan?" De detective zei: "Laat die crimineel maar in de kist zitten. Die wordt straks wel door de politie ingerekend. Zet er wel een stapel koffers op, dan kan hij niet ongezien verdwijnen." Lekker weertje om opgesloten te zitten.'

'Hij is er toch zelf ingeklommen,' wierp Amalia tegen.

Plotseling stond juffrouw Elisabeth naast haar.

'Wat sta je daar te praten? Vlug, je moest toch ook nodig?'

'Ik ga al,' zei ze snel.

Ze haastte zich naar het toilet. Op het moment dat ze haar onderrok optrok, viel haar oog op iets glinsterends. Het was een knoop. Het was precies zo'n knoop als ze op het perron naast de kist had zien liggen. Het kon een knoop zijn van een herenkostuum, of van een uniform. Voor een damesbloesje was hij iets te groot. In een flits kwam het in haar op de knoop op te rapen. Ze stopte hem in de zak van haar rok.

Het leek of ze door haar impulsieve daad deel ging uitmaken van het vreemde raadsel: de knoop in haar zak was misschien wel een klein geheim, maar het kon de oplossing van het mysterie blijken te zijn. De eigenaar van de knoop bevond zich in de trein. Sterker nog: degene die de knoop miste, had pal naast de kist gestaan. Voor het trekken van die conclusie hoefde je geen detective te zijn.

Toen ze terugliep, leek het of Jaap verdwenen was. Maar op het balkon van het eersteklasrijtuig stond hij klaar om de deur voor haar open te houden.

'Wat weet je nog meer?' vroeg ze.

Hij haalde zijn schouders op. 'Meer weet ik niet. Ik dacht dat jij misschien iets wist.'

Kon ze dat wel accepteren, dat zo'n stokersjoch *je* en *jij* tegen haar zei?

23

'Ik neem aan dat de politie een onderzoek komt instellen,' zei ze. 'Ze komen de dief arresteren. En dan kunnen wij vertrekken. Maar voorlopig zitten we opgescheept met een detective die alsmaar aan zijn snorpunten draait. Heb jij enig idee van wie die kist is? Zo'n ding gaat toch niet alleen op reis?'

Ze merkte dat ze opgelucht was. Het lijk bleek geen lijk te zijn. Dat een levende man zo gek was om in een kist te gaan liggen, was wel heel vreemd maar toch minder eng.

'In de restauratiewagen loopt een rare man met een zwart snorretje,' zei Jaap op een samenzweerderige toon.

'Alle mannen hebben snorren.'

'Deze man is kok. Hij komt uit Italië. Hij is vast lid van een bende. Misschien hoort hij wel bij de maffia.'

'Je fantasie slaat op hol.'

'Wie heeft er volgens jou dan met die man in de kist te maken?'

Nu haalde Amalia haar schouders op. 'Misschien wel die oude dame in het zwart. Ze heeft iets heel voornaams, iets geheimzinnigs. Ik heb het idee dat ze iets te verbergen heeft.' Ze stopte met praten. Wat wist zo'n gewone jongen van voorname mensen?

'Of anders die dikke zakenman, met zijn onderkinnen,' ging ze verder.

'Zijn dat alle mensen die bij jou in het rijtuig zitten?' wilde Jaap weten.

Amalia begon de andere reizigers te beschrijven. Toen ze bij de gouvernante was, zei ze: 'Ik vraag me af wat die vrouw in Antwerpen te zoeken heeft. Wat moet dat kind daar doen?'

'Ja, dat is verdacht,' zei Jaap enthousiast.

'De vader van dat joch is diamantair.'

'Misschien heeft de gouvernante haar baas bestolen,' opperde Jaap, 'en wordt dat jongetje door haar ontvoerd.'

Amalia schudde haar hoofd. 'Dat lijkt me niet. Maar misschien werkt ze wel in opdracht van haar baas. Heeft hij dit hele gedoe met die kist bedacht om gestolen juwelen de grens over te smokkelen.'

Het sloeg nergens op. Wie was dan dat lijk dat niet dood bleek te zijn? Maar ze vond het prettig met de jongen mee te fantaseren.

'We moeten haar in de gaten houden,' besloot Jaap.

'Je hebt gelijk,' zei ze. Voor ze de coupé binnenging, boog ze zich naar hem toe en fluisterde: 'Ik heet Amalia. Kun je niet proberen die detective af te luisteren?'

'Ja, dat is goed,' fluisterde Jaap terug. 'Hoe ziet hij eruit?'

'Hij heeft een snor.'

'Alle mannen hebben snorren.'

'Ja, dat is zo,' zei ze. En giechelend ging ze terug naar haar plekje bij het raam.

Robert van Hasselt

De verveling begon toe te slaan. Amalia probeerde de tijd te doden door haar medereizigers te observeren. Wie was wie? Achter welk onschuldig masker ging het ware gezicht van een crimineel schuil?

Volgens haar vader moest je ieder mens vertrouwen tot hij bewees je vertrouwen niet waard te zijn. Maar volgens haar moeder moest een meisje altijd op haar hoede zijn. 'Vertrouw niemand,' had ze nog kort voor de reis gezegd.

En juffrouw Elisabeth dan? Die was door haar moeder min of meer lukraak aangewezen als toezichthoudster. Hoe betrouwbaar was de gouvernante? Alles wat Amalia van haar wist, was dat ze op weg was naar Antwerpen. Was dat niet de stad van de diamantairs?

Die meneer Raaf had het maar makkelijk. Die kon gewoon alle reizigers een voor een bij zich roepen in de restauratie. Nu zat hij met de spoorwegdirecteur te praten. Voor zo'n detective was deze reis een mooie uitdaging.

Wat lette haar eigenlijk om zelf op onderzoek uit te gaan?

Langzaam stond Amalia op, en begon zo onopvallend mogelijk door het gangpad te wandelen.

De oude vrouw-in-het-zwart zat nog altijd amechtig onderuitgezakt. Haar gezelschapsdame wuifde haar koelte toe met een waaier. De weinige woorden die de vrouwen met elkaar spraken, waren in het Frans.

De dikke zakenman bladerde door tijdschriften met veel plaatjes van zeppelins, luchtballonnen en andere uitvindingen. Zijn in een kameelkleurig vest ingesnoerde buik deinde op en neer.

Het jongetje Lodewijk zat met zijn duim in zijn mond te knikkebollen.

Van haar eerste ronde door het gangpad was Amalia niet veel wijzer geworden. Ze moest proberen gesprekjes aan te knopen met haar medereizigers.

Op dat moment werd haar aandacht getrokken door de oude vrouw die al hoestend op boze toon sprak tegen haar gezelschapsdame. De oorzaak was Amalia al snel duidelijk: de vrouw had last van de rook. De gezelschapsdame stond op om de tussendeur dicht te doen. Maar een hand hield de deur tegen.

'Ik vind het vervelend om opgesloten te zitten,' hoorde Amalia de jonge vrouw in de andere coupé zeggen.

'Madame de Pierrefonds heeft last van uw rook,' wierp de gezelschapsdame tegen.

'Wie zei u?' klonk het een tikkeltje onbeleefd.

'Mijn naam is madame Lebreton,' zei de gezelschapsdame in haar beste Nederlands. 'Mevrouw hier is de gravin de Pierrefonds.'

'Ik zal mijn sigaret uitmaken,' klonk het van achter de houten tussenwand.

Amalia wist nu dat de zwarte dame uit Frankrijk kwam. En ze kende de namen van de beide dames.

Op het moment dat ze terug was op haar eigen plekje bij het raam, kwam de spoorwegdirecteur de coupé in. Zijn gezicht stond op onweer.

'Zo te zien bent u niet erg vrolijk geworden van het verhoor,' merkte de zakenman op.

De directeur ging naast Amalia op het groene bankje zitten.

Hij stak zijn hand uit naar de zakenman.

'Van Hasselt,' zei hij.

'Jack Forester,' zei de ander.

Weer een naam, dacht Amalia voldaan.

'Het was een belachelijk gesprek,' begon Van Hasselt. 'Die Raaf van dat inlichtingenbureau begon mij op een heel vervelende manier uit te horen. Het leek er zelfs op dat hij mij verdacht vond.'

'Waarom?' vroeg Forester.

'Volgens meneer de detective heb ik een motief.'

'Een motief?'

'Meneer Raaf is kennelijk van mening dat ik een goede reden heb om grote hoeveelheden geld te stelen en naar het buitenland te smokkelen.'

'Hoe komt die man daarbij?'

'Dat kan ik u makkelijk uitleggen. U moet weten dat de diverse spoorwegmaatschappijen elkaar hevig beconcurreren. Wie het meeste geld heeft, kan de meeste spoorlijnen aanleggen. Het Staatsspoor is aan de winnende hand, want Koning Willem steekt grote hoeveelheden geld in de ontwikkeling van het spoorwegnet.'

'Ik begrijp u niet. U zei dat u een motief had.'

'Als directeur van de Hollandse Spoorweg Maatschappij heb ik heel veel geld nodig. Daar ben ik altijd naar op zoek. Gelukkig zijn er genoeg rijkelui die aandeelhouder willen worden. Het spoor heeft de toekomst! Maar die detective heeft het in zijn hoofd gehaald dat ik dus een goede reden heb om juwelen en geld te stelen. Hij schildert me af als een geldwolf. Het is werkelijk van de gekke, die man verdenkt iedereen. Zelfs de machinist en de stoker op deze trein. En niet te vergeten perronchef Harry Gommers. Hij vindt ze allemaal verdacht. Zolang de zaak niet is opgelost, kan ik deze trein helaas niet laten vertrekken.'

'Ik neem aan dat de politie is ingeschakeld?' zei de zakenman.

'Raaf zegt dat hij de politie persoonlijk op de hoogte heeft gebracht van de ontwikkelingen. Maar helaas zijn er op het moment geen agenten beschikbaar. Omdat dit een noodgeval is, heeft de commissaris de hele zaak in handen van bureau Raaf, Raaf en Raaf gelegd. De detective zegt dat de politie er het volste vertrouwen in heeft dat hij de zaak spoedig tot een goed einde zal brengen.'

Het gesprek tussen de twee heren stokte.

Forester begon weer in zijn tijdschrift te bladeren.

'Meneer,' vroeg Amalia aan de spoorwegdirecteur, 'heeft u misschien iets gehoord over mijn moeder? Ze viel flauw toen die man in de kist...'

'Ik weet het niet zeker, meisje,' zei Van Hasselt vriendelijk. 'Maar meneer Raaf verzekerde mij dat hij alles onder controle heeft. Ik neem aan dat je moeder weer gezond en wel thuis is gearriveerd.'

Hij stond op.

'O ja,' zei hij toen tegen de man tegenover hen, 'ik was het bijna vergeten: ik moet u vragen u in het restauratierijtuig te vervoegen. Raaf wil nog een paar vragen aan u stellen.'

Forester zette grote ogen op.

'Ik? Alweer? Ik weet hier helemaal niets van!'

Hoofdschuddend stond de zakenman op en verliet de trein.

Amalia pakte het tijdschrift van het tafeltje en begon de plaatjes te bekijken van een wonderlijke toren in aanbouw. Hij werd in Parijs gebouwd door een meneer Eiffel, en moest de hoogste toren van de wereld worden.

Een diepe zucht van de man naast haar deed haar opkijken. 'Ik snap er niets van,' mompelde hij. 'Welke idioot gaat er nou in een kist liggen?'

Amalia haalde haar schouders op. Ze wist niet zeker of Van Hasselt een antwoord van haar verwachtte.

'Er moet een verklaring te vinden zijn. Stel, je bent een juwelendief. Je wilt een partij diamanten het land uitsmokkelen. Hoe pak je dat dan aan...?'

Amalia probeerde hardop mee te denken. 'Als je je in een kist verstopt, moeten anderen je helpen.'

'Precies, dat is wat ik bedoel,' zei Van Hasselt.

'Hoe kwam die kist daar?' vroeg Amalia.

'Dat is een goede vraag.' Van Hasselt kneep zijn ogen tot spleetjes, alsof hij zich zo beter kon voorstellen wat er was gebeurd.

'Ik weet het!' riep hij plotseling uit. 'In die kist zat een beeldhouwwerk. Een vrouwenfiguur, bedoeld om de koninklijke wachtkamer op te sieren. De beeldhouwer moet de kist met het beeld vanmorgen vroeg hebben gebracht.'

'Het is misschien belangrijk dat Raaf dat weet,' opperde Amalia.

'Je hebt gelijk,' zei Van Hasselt. 'Ik ga het hem meteen vertellen.'

Hij stond op om het rijtuig te verlaten. In de deuropening draaide hij zich om en zei: 'Je hebt een heldere geest. Bedankt voor het meedenken.'

Aangemoedigd door het compliment van de spoorwegdirecteur besloot Amalia haar speurtocht voort te zetten. Ze sprong op en wandelde door het gangpad naar de rookcoupé. Daar ging ze tegenover de jonge vrouw zitten en stak haar hand uit.

'Mijn naam is Amalia,' zei ze. 'Amalia Diefenbach.'

De vrouw tegenover haar keek haar onderzoekend aan. Toen glimlachte ze en zei: 'Ik ben Mary Debenham. Ik werk bij de Engelse ambassade.'

Amalia knikte. 'Waar gaat u naartoe?'

De glimlach verdween. 'Zoals je ziet, ben ik aan het lezen, meisje.'

Amalia liet haar blik van het jasje met de ontelbare knoopjes naar de schoot van de ambassademedewerkster zakken om te zien wat ze aan het lezen was. Maar op Mary's schoot lag alleen een volgeschreven schrijfblok. Schreef ze een brief? Of wilde ze er niet voor uitkomen dat ze een dagboek bijhield?

Mary Debenham liet haar gehandschoende hand in haar krokodillenleren tasje glijden en stak een nieuwe sigaret in haar gouden pijpje.

Voor Amalia zat er niets anders op dan op te stappen. Maar ondertussen was ze er toch in geslaagd de enige nog ontbrekende naam aan het lijstje toe te voegen.

Op dat lijstje stonden nu: een heuse gravin, Madame de Pierrefonds; haar gezelschapsdame, Madame Lebreton; juffrouw Elisabeth, gouvernante; Lodewijk, het zoontje van een diamantair; Robert van Hasselt, directeur van de HSM; Jack Forester, zakenman met interesse voor uitvindingen en Mary Debenham, ambassademedewerkster.

Amalia's hand ging naar de zak van haar rok. Ze voelde

het gladde oppervlak van de knoop. Zulke gevonden voorwerpen waren voor detectives belangrijke aanwijzingen. Maar van alle mensen met wie ze tot nu toe kennis had gemaakt, miste niemand een zilveren jasknoop.

De restauratie

Op het moment dat Amalia zich bewust werd van een knorrend gevoel in haar maag, kwam de spoorwegdirecteur met een mededeling. In de deuropening staand, sprak hij de reizigers toe.

'Dames en heren,' begon hij. 'Het onderzoek van de heer Raaf is in volle gang. Ik hoop dat u begrip hebt voor de situatie.'

'Kan er voor iets te eten worden gezorgd?' Het was Jack Forester die Van Hasselt onderbrak.

'Daar wilde ik u juist een voorstel over doen. Ik nodig u uit om samen met mij plaats te nemen in het restauratierijtuig. Onze kok zal u voorzien van een eenvoudig warm maal.'

Blij dat ze eindelijk het rijtuig konden verlaten, stonden alle reizigers op van hun banken. Amalia was als eerste bij de deur. Eenmaal buiten, maakte ze geen haast om in het restauratierijtuig te stappen. Ze nam de tijd om rond te kijken.

Op een bankje naast de krantenkiosk zaten Kleine Dikke en Lange Dunne de krant te lezen. Wie waren die mannen toch? Als ze niet van de politie waren, behoorden ze dan toch tot de eersteklas reizigers? De mannen waren op een vreemde manier op hun hoede. Terwijl de een aan het lezen was, keek de ander speurend in het rond.

Jaap was bezig met een poetslap het koper van de locomotief te poetsen. Het glanzende koper kleurde goed bij het doffe zwart van de reusachtige ketel.

33

Vanaf perron 1 vertrok een trein. Het moest de trein naar Hilversum zijn. Kinderstemmen echoden onder de overkapping. Voor de deur van de kapsalon stond de kapper zijn scheermessen te slijpen en bij de wachtkamer stonden twee mannen druk met elkaar te overleggen. Vanuit de verte was het niet goed te zien, maar het leek Amalia dat het Raaf was, samen met een agent van politie. De agent stond wild te gebaren. Hij deed een poging Raaf te passeren. Die leek de man tegen te houden. Het zag er allemaal weinig geruststellend uit. De politie was eindelijk gearriveerd. Maar was deze ene agent wel bij machte de zaak weer van Raaf over te nemen?

'Kom je?' vroeg juffrouw Elisabeth.

Amalia volgde de gouvernante en het diamantairszoontje het trappetje op, het restauratierijtuig in.

De tafels waren gedekt. Een zweterig mannetje, met een spuuglok en natuurlijk met een snor, liep af en aan.

Amalia moest lachen om wat Jaap over de man had gezegd. Moest dit onschuldige mannetje lid zijn van een Italiaanse bende? Voor de zekerheid voegde ze hem toch maar toe aan het lijstje in haar hoofd.

'Ga zitten.' Het was de gouvernante weer. Er zat niets anders op dan aan te schuiven. Nu zat ze naast Lodewijk, en had ze een goed overzicht over de mensen in het lange, smalle restaurant.

Toen iedereen zat, kwam detective Raaf uit het keukentje tevoorschijn. Had ze hem een paar seconden geleden niet zien praten met een politieman? Wat kon die man zich snel verplaatsen!

De detective tikte met een mes tegen een glas ten teken

dat hij iets wilde zeggen. Het geroezemoes verstomde.

Raaf schraapte zijn keel en zei: 'Allereerst wil ik u hartelijk danken voor uw medewerking aan mijn onderzoek. Ik kan u verklappen dat ik een belangrijk complot op het spoor ben. Maar u begrijpt dat ik daar verder geen mededelingen over kan doen.' Veelbetekenend keek hij het gezelschap rond. 'Dan wens ik u een genoeglijke maaltijd. Tot slot wil ik u graag verzoeken uw gesprekken te beperken tot wat men wel noemt: koetjes en kalfjes. Dit alles in het belang van mijn onderzoek.'

Belangstellend keek Amalia naar de detective van het bureau Raaf, Raaf & Raaf. De man vatte zijn taak uiterst serieus op. Dat kwam natuurlijk doordat hij er helemaal alleen voor stond. Even vroeg ze zich af naar welke bestemming de inlichtingenman zelf onderweg was. Moest hij ook niet worden ondervraagd?

De kok serveerde drankjes. Amalia bekeek hem eens wat beter. Voor een kok moest het niet moeilijk zijn om juwelen te smokkelen. Een koffer en een tas waren makkelijk te verstoppen in de voorraadkasten. Daar was geen lijk in een kist voor nodig. Maar eerlijk gezegd leek de man haar niet slim genoeg om zo'n wild plan te beramen. Dat bleek des te meer toen hij na een poosje in het gangpad kwam staan en uitriep: 'Is er misschien iemand die mij even kan helpen? Het vuur in de oven is uitgegaan. Mijn kolen zijn op en de asla is vol.'

Niemand reageerde. En gelijk hadden ze. Wie wilde er vuile handen krijgen?

Toen stond Amalia op en vroeg: 'Is het een idee om die stokersjongen erbij te halen?'

35

'Dat is precies de man die ik nodig heb,' zei de kok met een brede grijns op zijn besnorde gezicht.

Ze vond Jaap ergens bovenop. Het ding had de vorm van de klok uit een kerktoren. Het stak hoog boven de ketel uit waarop met koperen letters *Nestor* stond.

'Hé, kun je niet even van die bel afkomen?' riep ze hem toe.

Hij maakte geen aanstalten om naar beneden te komen.

'Dit is geen bel, het is de stoomdom. Hieronder zit de stoomregulateur,' riep hij terug. 'En mijn naam is Jaap. Iemand die Hé heet, ken ik niet,' mompelde hij erachteraan.

'De kok heeft je nodig,' legde ze uit. 'Hij krijgt de oven niet meer aan.'

Dat was genoeg om de jongen naast haar op het perron te krijgen. Met zijn zwarte hand veegde hij langs zijn voorhoofd, er was niet veel van zijn gewone huidskleur meer over.

'Zit je de hele dag op die kar?' vroeg Amalia. Ze wees naar de aanhangwagen die achter de locomotief was vastgemaakt.

De jongen lachte. 'Dat is geen kar, dat is de tender,' zei hij.

Ze beet haar tanden op elkaar. Het was vervelend om voortdurend verbeterd te worden. Ze moest andere vragen stellen, als ze meer te weten wilde komen over de mensen die bij het eventuele complot betrokken waren.

'Die perronchef, ik ben even zijn naam vergeten, ken je die?' probeerde ze.

'Harry Gommers? Dat is mijn oom.'

'Je oom?'

'Mijn hele familie werkt bij het spoor. Mijn oom, mijn vader en ik.'

'Dus jij heet ook Gommers?'

'Ja, Jacobus, net als mijn vader. Hij wordt Jacob genoemd en ik Jaap.'

Amalia dacht aan het complot. Drie mannen uit één en dezelfde familie. Ze zijn straatarm. Ze bedenken een manier om aan geld te komen. De één smokkelt een kist aan boord van de trein. De ander brengt die kist naar het buitenland. En de man in de kist? Dat is natuurlijk een neef van de familie.

'Kom je nou nog? Je zei toch dat de kok mij nodig heeft?'

Ze liepen terug naar het restauratierijtuig.

'Nu wil ik ook weten uit wat voor familie jij komt,' zei de jongen naast haar.

'Ik heet Amalia Diefenbach. Mijn vader handelt in steenkool.'

'Wel een beetje vreemd,' schamperde Jaap, 'dat jij als steenkooldochter niet weet wat een tender is. Op de tender wordt alle steenkool meegevoerd die onderweg nodig is om de stoomketel op te stoken. Elke honderd kilometer kost een ton kolen. En dat moet er allemaal met de hand worden ingeschept.'

Ze zei niets. Wat moest een meisje zeggen op zo'n typisch jongenspraatje?

'Wat grappig trouwens,' zei Jaap lachend, 'dat jouw vader en mijn vader hetzelfde werk doen.'

Eerst begreep ze niet goed wat hij bedoelde. Maar toen ze zijn grap doorzag, strafte ze hem onmiddellijk af.

'Nee, natuurlijk doen ze dat niet. Mijn vader heeft verstand van geld. Een stuk steenkool heeft hij nog nooit in handen gehad. Een zakenman maakt zijn handen niet vuil.'

Zonder nog iets te zeggen, kroop Jaap onder het rijtuig en begon driftig te morrelen aan een schuif. Een regen van as kwam op de rails terecht.

Amalia maakte dat ze wegkwam.

Incognito

Amalia kwam er niet onderuit opnieuw aan tafel te schuiven bij het jongetje Lodewijk en zijn gouvernante. Lodewijk friemelde aan de randjes van de lampenkappen.

'Vertel eens iets over je oom en tante,' zei juffrouw Elisabeth. 'Heb je wel vaker bij hen gelogeerd?'

Even dacht Amalia dat de gouvernante haar probeerde uit te horen, maar waarom zou ze dat doen? Zelf vond ze het ook wel interessant om te kunnen vertellen over haar rijke tante die een villa bij Parijs bezat.

'Mijn tante Louise is getrouwd met een excentrieke kunsthandelaar,' vertelde ze. 'Ze hebben een groot huis in Amsterdam, aan de Herengracht, op nummer 605. Mijn oom heeft ook een villa in Le Vésinet. Ze komen me in Parijs ophalen. Het station heet Gare du Nord. Oom en tante gaan heel vaak op reis, onlangs zijn ze nog in Venetië geweest. Mijn oom verzamelt foto's. Ik vind foto's veel mooier dan schilderijen. Op een foto zie je de wereld zoals hij er ook echt uitziet. Een schilder kan jokken als hij dat wil. Een fotograaf zoekt de waarheid op.'

'Net als een detective,' zei juffrouw Elisabeth.

'Mijn papa heeft ook een camera,' begon Lodewijk. 'Hij heeft geprobeerd een foto van mij te maken.'

'Geprobeerd? Is het niet gelukt dan?'

'De jongeheer kon niet zo lang stilzitten,' gaf juffrouw Elisabeth als antwoord.

Het duurde lang voor het eten werd opgediend. Tot Amalia's verbazing was het Jaap die een soepterrine bij hen op tafel kwam zetten. Zijn handen waren schoon, maar op zijn gezicht waren nog de zwarte resten te zien van zijn werk op de locomotief. De kok had hem een te grote witte jas aangetrokken en een schoot voorgebonden.

Jaap was duidelijk verlegen met de situatie. Met een kop als vuur bediende hij de reizigers in de restauratie.

Bij het tafeltje naast dat van Amalia ging het mis. Met zijn elleboog stootte hij tegen de schouder van madame Lebreton. De bouillon gulpte over de rand van de terrine. Gelukkig raakte alleen het tafelkleed bemorst.

Jaap verontschuldigde zich beleefd, maar Mary Debenham, die bij de gezelschapsdame aan tafel zat, begon luid te schelden.

'Haal de chef, ik ga mij bij hem beklagen!'

De kok liet zich echter niet meer zien.

Amalia begon langzaam haar soep naar binnen te lepelen. Ondertussen probeerde ze iets op te vangen van het gesprek tussen de vrouwen aan de tafel naast haar. Ze moest het doen met losse flarden, maar na een poosje begon ze te begrijpen dat de dames aan het roddelen waren over de gravin de Pierrefonds. Het gesprek ging over haar juwelen.

'Ze zien er wel duur uit,' zei madame Lebreton, 'maar wat ze draagt is meestal nep. Haar echte juwelen liggen in een kluis in Engeland.'

Juist op dat spannende moment zei juffrouw Elisabeth: 'De moeder van Lodewijk is ernstig ziek. Ik breng de jongen naar Antwerpen; zijn vader heeft daar een appartement. Voorlopig blijven we daar wonen. Maar ik zie er vreselijk tegenop.'

De ogen van de gouvernante liepen rood aan. Ze haalde een zakdoekje uit haar tas, stak haar grote neus erin en begon te snotteren.

Amalia knikte alleen maar. Ze wilde niets missen van het gesprek tussen de twee vrouwen. Vanwege de taal was dat al moeilijk genoeg. Het viel niet mee om van de losse woorden begrijpelijke taal te maken. Wat was het verband tussen 'Franse keizer...', 'begrafenis...', 'verbannen...', 'teruggetrokken in Engeland' en 'Amstelhotel'? Ze kon er geen verhaal in ontdekken.

Tot ze een paar complete zinnen kon verstaan.

'Ze is de negende gravin van Teba,' vertelde madame Lebreton. 'Hoge Spaanse adel. Ze reist altijd incognito.'

'Maar wat deed ze dan in Amsterdam?' informeerde Mary Debenham.

Het antwoord kon Amalia niet verstaan. De dames bogen zich naar elkaar toe en de rest van het gesprek werd op fluistertoon gevoerd. Maar ze wist genoeg. Hier was iets verdachts aan de hand. Zou de detective al weten wie de oude dame in werkelijkheid was? Kende hij het verhaal over haar nepjuwelen? Misschien moest ze hem vertellen wat ze had gehoord.

De kok kwam uit de keuken met een schaal gevogelte.

'De hoofdgerecht is een duif in de champagnesaus,' zei hij met een Italiaans accent.

Amalia smulde van het warme maal. Maar haar gedachten waren bij de gravin de Pierrefonds. Was zij een stiekeme juwelendievegge uit Spanje? Ze reisde incognito. Wat dat precies betekende wist Amalia niet. Maar het klonk verdacht.

De letter E

'Mag ik even bij jullie komen zitten?' hoorde ze vragen.

Amalia maakte zich klein om plaats te maken voor detective Raaf.

'Wilt u niet iets eten?' vroeg juffrouw Elisabeth.

De man keek verstrooid om zich heen. 'Wat zei u? Eten? Nee, daar heb ik helaas geen tijd voor.'

Hij boog zich voorover naar de gouvernante, hield haar een zakdoekje voor en vroeg: 'Komt dit zakdoekje u bekend voor?'

Juffrouw Elisabeth wierp een blik op het voorwerp en schudde haar hoofd: 'Dat is niet van mij.'

'Vreemd,' zei de detective. 'En dit?'

Nu toverde hij plotseling een tabaksdoos uit zijn zak tevoorschijn.

'Wat denkt u? U denkt toch zeker niet dat ik rook? Ik vind dat gerook hoogst onaangenaam. Het stinkt. Ik zou er iets om durven verwedden dat het ook niet goed is voor de gezondheid.'

'Vreemd,' zei de detective opnieuw.

'Waarom is dat vreemd?' vroeg de gouvernante paniekerig.

De detective boog zich naar haar toe en zei: 'Een professionele inbreker laat geen sporen na. U moet begrijpen dat vaak de kleinste aanwijzingen van het allergrootste belang blijken te zijn.'

'Een zakdoekje?' Er klonk een forse dosis ongeloof in de stem van juffrouw Elisabeth.

'Precies,' luidde het antwoord. 'Mensen zijn geneigd sporen na te laten. En u zult het misschien niet geloven, maar juist de daders laten de duidelijkste sporen na.'

'Daders? Maar wat is er dan eigenlijk gebeurd?'

'Dat zou ik ook graag willen weten,' zei Raaf. Hij maakte aanstalten om op te staan. 'Echt, elke kleinigheid...'

Op dat moment kruiste zijn blik die van Amalia. Ze voelde zich betrapt. Waarschijnlijk kwam het daardoor dat ze op het idee kwam om met haar hand in de zak van haar rok te tasten en er een glinsterend voorwerp uit te halen. Ze legde de knoop op de tafel en zei vragend: 'Zoals de knoop van een jas?'

Raaf bevroor. 'Hoe kom je aan die knoop?' vroeg hij schor.

Voor ze antwoord gaf, keek ze naar de smoezelige jas van de detective. Er ontbraken twee knopen aan.

'Ik vond hem naast de kist op het perron.'

Dat antwoord verbaasde haarzelf. Hoe kwam ze op het idee om het perron te noemen in plaats van het toilet?

'Je moet goed begrijpen dat ik daar helemaal niet ben geweest,' begon Raaf nadrukkelijk uit te leggen. 'Ik heb die kist pas voor het eerst gezien toen mij door Van Hasselt werd verzocht de zaak te leiden.'

Niemand reageerde op deze ongevraagde toelichting.

Raaf liep het rijtuig weer uit.

'Hoe komt die man erbij dat ik hier iets mee te maken zou kunnen hebben,' zei juffrouw Elisabeth kwaad. 'Waar bemoeit hij zich mee? Zit hij soms in onze tassen en koffers te snuffelen? Dat vind ik onbehoorlijk!'

'We moeten die man gewoon zijn werk laten doen,' vond Van Hasselt. 'Stapje voor stapje, dan komt hij vanzelf bij de dader terecht.'

'Maar de dader lag toch in een kist?' hield de gouvernante vol. 'En die zal toch door de politie ondertussen wel zijn ingerekend?'

Amalia begreep wel waar de detective op uit was. Zij had gezien dat op het zakdoekje een letter was geborduurd. Het was de letter E. In het deksel van de tabaksdoos was zo'n zelfde letter gegraveerd. Het was niet verwonderlijk dat Raaf die letters in verband bracht met de gouvernante. Haar naam begon met een E.

Maar hoe begrijpelijk ook, Amalia begon plotseling aan de goede bedoelingen van de detective te twijfelen. Waarom beweerde hij niet van de kist geweten te hebben? Het was zíjn knoop die ernaast lag!

Na de maaltijd glipte Amalia zo snel ze kon de restauratie uit. Ze had er weinig zin in om jongeheer Lodewijk bezig te houden, zoals de gouvernante haar had gevraagd.

Langs het rijtuig lopend hoorde ze plotseling een heldere zangstem. Ze hield haar pas in. Wie zong er zo mooi? Als het de kok was, was hij zijn roeping misgelopen. Hij zong een aria uit een opera die Amalia bekend voorkwam. Was dit niet de *Carmen* van Verdi? Plotseling hoorde ze boven het zingen uit haar naam roepen. Ze keek omhoog om te zien waar Jaap zich ophield.

Hij stond in het keukentje met een droogdoek in zijn hand. Met een trotse glimlach om zijn mond vroeg hij: 'Je gaat toch naar Parijs?'

'Hoe bedoel je?' vroeg ze.

'Daar wordt de hoogste toren van de wereld gebouwd,' was het antwoord. Hij wees naar een stapel kranten die voor de kiosk op de grond lag.

44

'Wat staat erover?' vroeg ze. 'Is hij ingestort?'
'Dat weet ik niet,' zei Jaap. 'Ik kan niet lezen.'

Alle andere reizigers wandelden op verzoek van detective Raaf gewillig terug naar het eersteklasrijtuig. 'Het onderzoek is helaas nog niet afgerond,' zei hij ernstig.

Amalia deed of ze niets had gehoord en slenterde zo onopvallend mogelijk in de richting van de krantenkiosk.

Daar aangekomen ging ze op haar hurken zitten en bekeek de foto. Vergeleken met die in Foresters tijdschrift was de toren al een flink stuk hoger.

Bouw toren wereldtentoonstelling verloopt voorspoedig, las ze. Het was de krant van die dag: 24 juni 1887.

Ze liet haar blik over de bladzijde dwalen en opeens sloeg haar hart over bij het lezen van een klein bericht. Het ging over een juwelenroof. Een Amsterdamse diamantair was bestolen van een grote hoeveelheid edelstenen, gouden sieraden en een grote som geld!

'Enrico,' klonk een stem, 'kan ik nu gaan?'

Het was Jaap die de kok toestemming vroeg om terug te gaan naar de locomotief. De jongen was zeker klaar met zijn karweitjes in het keukentje van de restauratie.

'Dankjoewel,' klonk het antwoord.

De kok heette blijkbaar Enrico.

Enrico? Die naam begon ook met een E...

'Mag ik vragen wat je aan het doen bent?'

Amalia schrok op. Over haar schouder keek meneer Raaf naar de stapel kranten op de grond.

'Belangrijk nieuws?'

'Ja, nee, ja,' hakkelde ze. 'Er is geld gestolen. En er zijn juwelen ontvreemd. En ik dacht dat u misschien wel zou willen weten dat de naam van de kok met een E begint. Hij heet Enrico. U bent toch op zoek naar de eigenaar van het zakdoekje en van de tabaksdoos?'

Bertold Raaf van het inlichtingenbureau knikte instemmend. Hij legde zelfs zijn hand op haar schouder en zei vertrouwelijk: 'Daar zeg je iets heel verstandigs. Dat is een belangrijke aanwijzing. Ik zou je wel willen vragen: mondje dicht. En ga nu maar gauw weer naar de coupé.'

'Ja, meneer,' zei Amalia. 'Dank u wel, meneer.'

Toen zag ze iets vreemds. Aan het zwarte jasje van meneer Raaf glinsterde een ononderbroken rij van zes knopen. Er ontbrak er niet één.

Het Utrechts Dagblad

Voor ze de treden opging naar het eersteklasrijtuig, klampte Jaap haar aan.

'Ben je iets te weten gekomen?'

'Ja,' zei Amalia. 'Er is iets raars aan de hand. Eerst had Raaf een jas waaraan twee knopen ontbraken. Nu zag ik hem in een jasje waarmee helemaal niets mis was; alle knopen zaten op een rij!'

'Misschien kan hij razendsnel knopen aanzetten,' opperde Jaap. 'Of misschien heeft hij een tweelingbroer.'

'Dat is het!' riep Amalia. 'Er staat natuurlijk niet voor niets driemaal Raaf op het visitekaartje van dat detectivebureau.'

Het was best mogelijk dat Raaf de opdracht niet in zijn eentje uitvoerde.

'En jij?' vroeg ze. 'Wat ben jij te weten gekomen over de kok?'

'Enrico?' Jaap haalde zijn schouders op. 'Hij komt uit Italië. Hij zegt dat hij eigenlijk een beroemde zanger is. Vroeger was hij steenrijk. Maar toen is hij gaan gokken. Hij heeft schulden gemaakt en is aan lagerwal geraakt. Nu probeert hij er weer bovenop te komen. Hij heeft wel tien kinderen, die wonen allemaal in Venetië. Zijn vrouw heeft gezegd dat ze van hem gaat scheiden als hij niet voor brood op de plank zorgt.'

'Dat heeft hij je allemaal verteld?'

'Ja.'

'Uit zichzelf?'

'Nee, natuurlijk niet. Ik heb hem uitgehoord. Nou, wat lijkt jou de beste manier om van je schulden af te komen?' Jaap wachtte niet op haar antwoord. 'Geld stelen, juwelen meesmokkelen,' zei hij triomfantelijk.

'Goed bedacht,' zei ze. 'Weet jij misschien of die Enrico pijprookt? Raaf kwam met een verdachte tabaksdoos op de proppen.'

'Geen idee, maar ik zal mijn oren en mijn ogen openhouden,' zei Jaap.

'Vergeet je neus niet.'

Jaap wilde weglopen.

'Wacht,' zei Amalia. 'Ik moet je nog iets vragen. Waar moest die kist eigenlijk naartoe?'

'Dat vroeg mijn oom Harry zich ook af. Het etiket was heel moeilijk te lezen. Er was op gekrast en met potlood was daar doorheen geschreven. Mijn oom zei dat hij dacht een plaatsnaam te kunnen ontcijferen. Het leek op Bergen.'

'Bergen?'

'Dat ligt in België. Maar het kan ook Bergen op Zoom zijn.'

'Of Bergen in Noord-Holland,' zei Amalia. Nu had zij lekker eens het laatste woord.

In het rijtuig liep de temperatuur op naar het kookpunt. De reizigers begonnen hun geduld te verliezen. Mary Debenham en juffrouw Elisabeth stapten op de spoorwegdirecteur af.

'Ik eis dat de trein vertrekt,' zei Debenham. Haar vers gestifte lippen zetten haar kwaadheid kracht bij.

'Denk eens aan die arme kinderen,' pleitte de gouvernan-

48

te. Kinderen? Bedoelde ze daar Lodewijk en Amalia mee? Ze gingen toch niet denken dat zij zielig was?

'Het ligt niet in mijn vermogen om uw verzoek in te willigen,' antwoordde Van Hasselt.

'Ik heb zaken te doen.'

Het was Forester die zich in het gesprek mengde. 'Er is veel geld mee gemoeid.'

Namens gravin de Pierrefonds kwam madame Lebreton haar beklag doen.

'Waarom vertrekken we niet? De gravin wordt onwel in deze hitte. Een dame met haar achtergrond kan toch niet worden gevangen gehouden in een treinwagon?'

'Het spijt me werkelijk,' zei Van Hasselt. 'Ik moet wachten tot de heer Raaf deze zaak tot een goed einde heeft gebracht. Mijn reputatie staat op het spel. Ik wil dat de man in de kist wordt gearresteerd en dat Raaf de betrokkene aanwijst. Als dat gebeurd is, kunnen we vertrekken.'

De kleine Lodewijk jengelde aan één stuk door. 'Wanneer gaan we nou? Wanneer gaan we nou?'

'Kun jij hem niet een poosje bezighouden?' vroeg de gouvernante nog een keer.

Amalia deed een poging om het kind af te leiden. Even leek het te lukken met een spelletje ik-zie-ik-zie-wat-jij-niet-ziet.

Amalia zag iets blauws en Lodewijk slaagde er niet in te raden wat ze bedoelde.

'Je matrozenpakje,' zei Amalia.

Lodewijk zag iets goudkleurigs. Amalia raadde het meteen. Het was de koperen trompet van de conducteur, die aan een haakje hing.

Amalia zag iets roods: de kaft van een boek. De gehandschoende handjes van Mary Debenham hielden het boek vast.

Lodewijk noemde honderd dingen, maar het boek zag hij niet. Na een poosje begon Amalia hem te helpen door 'koud', 'lauw', 'warm' of 'heet' te zeggen. Het hielp niet. Ten slotte wees ze naar het boek.

'Maar dat is helemaal niet rood,' protesteerde Lodewijk. 'Dat is bruin.'

'Steenrood,' zei Amalia.

'Poepbruin,' zei Lodewijk.

'Wijn!' riep Amalia boos.

'Kak!' schreeuwde Lodewijk.

'Lodewijk, gedraag je!' schreeuwde de gouvernante.

Mary Debenham keek op. Ze legde het boek op haar schoot. Het droeg de titel: *De grote treinroof.*

Toen Amalia uit het raam keek, zag ze Jaap weglopen.

Wat zou hij gaan doen? Hij had een heel ander leven dan zij. Hij ging nooit naar school. Zou hij dat jammer vinden? Niet dat zijzelf nou elke dag stond te trappelen om naar school te gaan...

Eigenlijk bofte Jaap; wie weet hoe vaak hij al in Parijs was geweest! Maar het was toch ook niets om dag in dag uit smerig werk te moeten doen. Klusjes opknappen voor anderen. Kolen scheppen op zo'n – hoe noemde hij het ook weer – tender? Weer of geen weer. In de winter moest het bitter koud zijn op de bok van die locomotief.

Daar kwam hij alweer. In zijn ene hand droeg hij een dienblad met glazen, in de andere een grote fles spuitwater.

'Ik dacht dat jullie wel dorst zouden krijgen, in die hitte.' Jaap bood hun om de beurt een glaasje koel water aan. Iedereen nam het aan, ook Amalia.

'Weet je eigenlijk wel hoe hoog die toren in Parijs gaat worden?' vroeg ze.

Jaap knikte. 'Driehonderd meter. Drie keer zo hoog als de Domtoren.'

Toen vroeg hij: 'Waarom blijf je de hele tijd in de trein zitten?'

'Omdat het moet van Raaf,' antwoordde ze stuurs. 'Zou jij misschien een krant voor me willen halen?'

'Haal hem zelf.'

'Maar Raaf zegt–'

'Je hoeft toch niet alles te doen wat hij zegt? Ik heb trouwens nieuws over Enrico.'

Jaap verdween door de tussendeur naar de rookcoupé.

Amalia stond met een ruk op.

'Wat ga je doen?' vroeg de gouvernante.

'Wanneer gaan we nou?' jengelde Lodewijk.

'Ik ben zo terug,' zei Amalia. Maar ze was helemaal niet van plan terug te keren naar het benauwde rijtuig met al die wachtende mensen erin.

Met een sprong belandde ze op het perron. Ze liep rechtstreeks naar de krantenkiosk. De stapel kranten lag er nog. Ze pakte het bovenste exemplaar en liet haar ogen over de pagina's glijden.

Een gezin met kinderen was op zoek naar een dienstbode. Amalia's ouders hadden meerdere dienstbodes. Natuurlijk hadden ze ook een keukenmeid, tuinpersoneel en een koetsier voor papa. Amalia moest er niet aan denken zelf een dienstbode, of nog erger, een kindermeisje te zijn. Het laatste kindermeisje had huilend haar spullen gepakt en was weggevlucht. Amalia had haar ouders duidelijk gemaakt dat ze nu toch echt groot genoeg was om voor zichzelf te zorgen.

In de Biltstraat was een bovenhuis te huur voor veertien gulden per maand. Zij zou niet in een bovenhuis willen wonen. Jaap woonde vast in zo'n gehorig huis, met buren overal, in een huis zonder tuin. Een leven in een huis zonder park, zonder vijver, zonder tuinhuis, ijskelder, koetshuis en speelweide kon ze zich niet voorstellen.

Een firma bood 'Kaukasisch Wandluizenvergifmiddel' te koop aan. En 'Echt Perzisch Insectenpoeder'.

Eindelijk vond ze het vervolg van het verhaal over de juwelenroof. Tot haar verbazing las ze:

Het inlichtingenbureau van Raaf, Raaf & Raaf te U. had de diamantair reeds enige dagen geleden voorspeld dat een bende het op zijn vermogen en juwelen had gemunt. Toch kon het misdrijf tot leedwezen van de gedupeerde niet worden voorkomen.

'Ah, daar ben je!' Jaap stond haar lachend aan te kijken. 'En, wat staat er zoal in de krant?'

'Raaf wist allang van een op handen zijnde juwelenroof.'

'Is dat alles?'

Ze sloeg een bladzijde om, liet haar blik op een willekeurig artikel vallen en begon eruit voor te lezen.

'*Te Breda worden de voorbereidingen getroffen voor de viering van de verjaardag van prinses Wilhelmina. Evenals vorig jaar zullen haar ouders...* Wil je nog meer weten? Het prinsesje wordt volgende week zeven jaar.'

Ze was zich ervan bewust dat haar stem niet vriendelijk klonk, maar ze wist niet goed op wie ze boos was. Misschien wel het meest op zichzelf. Wat wist Raaf dat zij niet wist? Ze zag iets over het hoofd...

Plotseling wist ze het. 'Raaf ként de man in de kist!' riep ze uit.

'Hoe kom je daar nou bij?' Jaap keek ongelovig.

Maar Amalia was ervan overtuigd dat ze op het goede spoor zat. Raaf wist van het plan. Hij wist misschien ook dat de man in de ruitbroek het land wilde verlaten. Dáárom zat hij in de trein! En daarom had de man zich verstopt in een kist...!

'Ik dacht dat je misschien meer wilde weten over Enrico, de kok,' zei Jaap. 'Hij schept erover op dat hij mensen heeft opgelicht. Hij zegt dat als hij die juwelen had gestolen, hij het heel anders aangepakt zou hebben.'

'Hoe dan?'

'Hij zou ze verstopt hebben tussen de steenkool in de tender.'

'Maar hij heeft het niet gedaan?'

'Hij zegt dat hij het niet gedaan heeft.'

'Vind je hem verdacht?'

'Misschien wel, misschien niet. Echte boeven praten niet over wat ze gedaan hebben.'

'Je praat zelf als een boef.'

Jaap lachte. 'Ik denk niet dat mijn familie tot zoiets in staat zou zijn.'

'Volgens Raaf is iedereen verdacht. Misschien heeft jouw familie wel een heleboel redenen om geld of juwelen te stelen. Bij het spoor is het vast geen vetpot.'

'Je kletst uit je nek, verwend nest.' Jaap deed zijn pet af en haalde een hand door zijn haar. 'Misschien kun je maar beter zo snel mogelijk teruggaan. Bij je gouvernante ben je veilig.'

Amalia nam een besluit.

'Ze is mijn gouvernante niet,' zei ze. 'En ik ga niet terug.'

De Nestor

Ze holden over het perron in de richting van de locomotief die samen met de twee rijtuigen was achtergebleven in Utrecht. *De Nestor* torende hoog boven Amalia uit. De logge kolos was in diepe rust. Er was geen sprake van enige beweging, van sissen of van fluiten.

'Zeg, die gouvernante, ben je daar al een beetje wijzer van geworden?' vroeg Jaap.

Ze begreep wat hij bedoelde. Hij wilde van haar weten of ze juffrouw Elisabeth verdacht vond. Wat had die ook alweer gezegd? Amalia had niet echt naar haar geluisterd. Ze ging naar Antwerpen maar dat wilde ze eigenlijk niet…

'Lodewijks vader is een diamantair,' zei Amalia. 'Ze is bang voor hem, geloof ik.'

'En die oude dame in het zwart, heb je enig idee wie dat is?' wilde Jaap weten.

'Ze is van adel. Ze noemt zich gravin de Pierrefonds. Maar of dat haar werkelijke naam is, weet ik niet.'

'Misschien is ze wel lid van een internationale heksenvereniging.'

'Wat een onzin. Jouw fantasie slaat op hol.'

'Wat denk jij dan?'

'Ze is een beroemde Franse arts. Ze heeft een belangrijk medicijn ontdekt. En nu heeft ze geld nodig om een fabriek te laten bouwen.'

'Een vrouw zeker!' zei Jaap.

'Dat kan best…' begon Amalia. Maar hij luisterde niet. Hij

begon op de locomotief te klimmen en wees haar wat ze moest doen.

'Hier vastpakken. Daar je ene voet. Daar je andere voet.'

Ze schudde haar hoofd. 'Maar dan word ik vies.'

'Nou, en?' luidde zijn antwoord nuchter.

Tegensputterend liet ze zich door hem omhoog hijsen en keek om zich heen.

Overal hendels en instrumenten. Minder vies en vuil dan ze had verwacht. Het koper was gepoetst. Dat moest Jaap hebben gedaan. Een comfortabele plek om te zitten was er niet.

'En nu?' vroeg ze.

Jaap liet zich op de grond zakken. 'Dit noemen we de plaat,' zei hij. 'Ik zou ook maar gaan zitten, voordat meneer Raaf je ziet.'

Plotseling klonk er gestommel aan de andere kant van de locomotief. Er verscheen een hoofd boven de plaat.

'O, zit je hier.'

'Dat is mijn oom,' zei Jaap.

Ze kreeg een zwarte hand. 'Gommers, zeg maar Harry,' zei de man.

Amalia was op haar hoede. Perronchef Harry Gommers stond ook op het verdachtenlijstje van de detective.

Toen kwam er nog een hoofd omhoog, en een bijbehorend lijf. 'Dat is mijn vader,' lichtte Jaap toe.

'Ik heet Jacob,' zei de man, die sprekend op zijn broer leek, maar dan minder kaal en zonder snor.

'Amalia is het zat om opgesloten te zitten,' legde Jaap uit.

Zijn vader glimlachte vriendelijk naar haar.

Op dat moment werd vanaf het perron luid de naam van

de perronchef geroepen. Amalia herkende de stem van de detective.

Jaaps oom boog zijn hoofd naar buiten. 'Wat kan ik voor u doen?'

'Ik mis een van de reizigers uit de eersteklas. Het is een meisje van een jaar of veertien. Ik doe nogmaals een beroep op u om beter op de reizigers te letten. Alles wat er gebeurt kan een aanwijzing zijn.'

De perronchef deed of hij zoekend om zich heen keek. Toen zei hij luid en duidelijk: 'Nee, het spijt me. Er is hier niemand die u zoekt.'

Amalia luisterde naar het geluid van Raafs voetstappen. Ze haalde opgelucht adem. Vanaf nu moest ze uit gaan kijken voor de wantrouwige detective. Ze grinnikte zacht om wat Raaf had gezegd. Hij dacht dat ze veertien was.

'Hé, Har, hoe laat denk je dat ik de boel weer kan gaan opstoken?' vroeg Jaaps vader aan zijn broer.

'Ik weet het niet, Jacob,' luidde het antwoord. 'Ik geloof dat ik zo zelf aan de beurt ben voor een verhoor.'

'Wat een flauwekul! Je bent toch met geen hand aan die kist geweest?'

'Maar jammer genoeg kan ik ook niet verklaren hoe die daar terechtgekomen is. En dat vindt meneer de detective verdacht.' Lusteloos keken de mannen uit over het verlaten perron. Ze keken elkaar aan. Ze haalden hun schouders op. Jaaps vader veegde zijn handen af aan een dot poetskatoen, Jaaps oom keek naar de klok.

Amalia probeerde een gesprek op gang te brengen. 'Hoe lang bent u al treinman?' vroeg ze.

'Wij zijn voor het spoor geboren,' zei Jaaps oom, die duidelijk de oudste van de twee was.

'Als kind hebben we de aanleg van de allereerste spoorlijn meegemaakt,' viel zijn broer hem bij.

De twee mannen begonnen haar omstandig de geschiedenis van het spoor uit de doeken te doen.

'De eerste trein reed tussen Haarlem en Amsterdam, in 1839. De mensen noemden het een duivelse uitvinding. Ze waren bang dat de koeien geen melk meer zouden geven en de kippen van de leg zouden raken als het ijzeren paard voorbijkwam.'

'Maar wij niet! Wij wisten meteen dat we later ook bij het spoor zouden gaan werken.'

'Iedereen denkt altijd dat *De Arend* de eerste locomotief in Nederland was, maar dat is niet zo. Dat was *De Snelheid*. Die is in Engeland gemaakt. Toen is hij in onderdelen naar Nederland gebracht.'

'In grote houten kratten.'

'Machinist worden, dat is waar iedere gezonde Hollandse jongen van droomt. En de enige manier om dat te worden is: onderaan beginnen.'

Nu begon ook Jaap zich ermee te bemoeien.

'Over een paar jaar ben ik stoker,' zei hij. 'En dan word ik leerling-machinist. En als het dan allemaal goed gaat, word ik uiteindelijk machinist.' Zijn ogen glinsterden. Hij sprong op en gaf een demonstratie van hoe een locomotief bediend moest worden. Hij trok zogenaamd aan hendels, en deed of hij aan wielen draaide en op meters keek.

Langzaam begon Amalia er iets van te begrijpen: het spoor was jongensspel.

Toen werden ze opnieuw opgeschrikt door de stem van de detective. Vanaf het perron klonk het: 'Mag ik u verzoeken de gravin te komen helpen?'

Amalia dook dieper weg. De perronchef klom achterwaarts de locomotief af en Jaaps vader boog zich voorover om te kijken wat er aan de hand was.

'Wel heb ik ooit,' zei hij. 'Dat oude mens in het zwart mag de trein verlaten.'

Achter Jaap langs waagde ze het om over de rand van de tender naar buiten te gluren. Gravin de Pierrefonds en haar gezelschapsdame werden naar een van de wachtkamers gebracht. De mannen met de hoge hoeden, Kleine Dikke en Lange Dunne, waren ook van de partij.

En het was niet de tweedeklas wachtkamer die ze binnengingen, en ook niet die van de eersteklas, maar de koninklijke wachtkamer!

De gravin ontmaskerd

Toen Raaf weg was, zei Jaap: 'Zullen we ernaartoe gaan?'

Ze klauterden van de locomotief.

Kleine Dikke en Lange Dunne stonden als wachters voor de deuren van de koninklijke wachtkamer.

'Zal ik vragen of ze iets te drinken wil hebben?' stelde Jaap voor. 'Dat heb ik al eerder gedaan.'

Amalia schudde haar hoofd. 'Dat werkt nu niet meer. In de koninklijke wachtkamer wordt ze vast op haar wenken bediend. Laat mij maar, ik bedenk wel een smoesje.'

Ze stapte op de twee mannen af. Eerst wilde ze het woord richten tot de kleine, die ongeveer even groot was als zij. Maar bij nader inzien leek de lange dunne haar belangrijker. Ze keek naar hem op en zei: 'Ik wil graag een bezoekje brengen aan de gravin.'

De man nam zijn hoed af, veegde met een zakdoekje zijn bezwete kruin af en antwoordde: 'Dat zal niet gaan, jongedame. Madame Eugénie wil met rust worden gelaten. Onder deze omstandigheden heeft zij het al moeilijk genoeg.'

Even aarzelde Amalia. Had ze de naam van de gravin goed gehoord? Noemde hij haar Eugénie? Toen zei ze overmoedig: 'Ik wil haar het zijden zakdoekje terugbezorgen.'

De twee heren keken elkaar even aan. De lange liep naar de gebeeldhouwde deur en deed hem op een kier. Amalia glipte naar binnen, Jaap kwam achter haar aan.

Midden in het donkere vertrek zat de gravin in de pluche kussens. Ze waaierde zichzelf koelte toe met een waaiertje van ivoor. Het papier was met goud beschilderd.

'Wat kan ik voor jullie doen?' Het was madame Lebreton die de vraag stelde.

'We komen vragen hoe het met de gravin gaat,' zei Amalia.

'Ze heeft het warm,' luidde het antwoord.

Amalia begreep dat ze van de gezelschapsdame niet veel wijzer zouden worden. Hoe kon ze erachter komen wat de oude adellijke dame in het zwart in de koninklijke wachtkamer te zoeken had?

Ze waagde een gokje. Ze deed een paar stappen in de richting van de gravin en vroeg in haar beste Frans: 'Hoe maakt u het?'

'Ach, het gaat wel,' zei de oude dame. 'Het is warm. Erg warm.'

'Er gebeuren vreemde dingen,' zei Amalia. Ze wist niet goed hoe ze het gesprek op gang moest krijgen.

'We zullen de boot missen,' zei de gravin met een zucht. Haar waaier fladderde als een vlinder voor haar bleke gezicht. Amalia keek naar het bontje om de hals van de oude dame. Zou het in deze temperatuur niet verstandig zijn iets luchtiger gekleed te gaan?

'Welke boot?' vroeg Jaap.

Amalia keek verbaasd naar de jongen naast haar. Sprak hij ook al Frans? Dat moest hij geleerd hebben van zijn treinreizen naar het zuiden.

'Ik woon in Londen,' legde de oude dame uit. 'Ik wil graag op tijd zijn voor de begrafenis van mijn man, de keizer.'

Amalia viel bijna om van verbazing. Waar had de oude dame het over?

'Geef de kinderen iets te drinken,' gebood de gravin haar

61

gezelschapsdame. 'En vertel hun hoe het zit.'

Madame Lebreton wenkte hen mee te komen naar een houten buffet. Amalia en Jaap kregen een glas spuitwater en een schaaltje aardbeien.

Plechtig begon de gezelschapsdame uitleg te geven.

'Madame de Pierrefonds heeft een bezoek gebracht aan een Amsterdamse arts. Haar eigenlijke naam is madame Eugénie. Nu is zij op weg naar Engeland. Over enkele dagen zal haar man, keizer Napoleon de derde van Frankrijk, daar worden herbegraven in een grafkapel. Jaren geleden zijn de keizer en keizerin verbannen uit Frankrijk, en daarom is er in Engeland nu een nieuw praalgraf gemaakt.'

De oude dame was de ex-keizerin van Frankrijk! Amalia was onder de indruk, ook al begreep ze niet veel van het verhaal. Maar ze durfde niet verder te vragen. Alleen één ding.

'Was dat zakdoekje met de geborduurde letter E van mevrouw de keizerin?'

De gezelschapsdame knikte. 'Dat moest madame Eugénie op last van de detective afgeven. Waarom weet ik niet. Eigenlijk begrijpen wij niet goed waarop het wachten is. Waarom vertrekt deze trein niet? Waarom kan de directeur van het spoorwegbedrijf niet gewoon opdracht geven om te vertrekken?'

'Dat komt door die kist op het perron,' legde Jaap uit.

'Dan vertrekken we toch gewoon zonder die kist,' zei madame Lebreton. 'Wat hebben we met die meneer Raaf te maken?'

Amalia overwoog de mogelijkheid dat Raaf eropuit was bewijzen te verzamelen die helemaal niet bestonden. Sterker nog, dat hij zijn aanwijzingen zelf bedacht! Als een spin weefde hij een web van verdachtmakingen. Het leek of hij serieus bezig was met een onderzoek, maar ondertussen wachtte hij... Ja, op wat?

En wat deed de tweede Raaf ondertussen op de achtergrond? De politie op een afstand houden?

'We moeten weer gaan,' zei ze. 'Bonjour, madame.' Ze boog voor de oude dame in het pluche.

Die lachte vriendelijk.

'Madame Eugénie is zeer gesteld op kinderen,' zei madame Lebreton. 'Haar enige zoon overleed acht jaar geleden.'

Als een heer hield Jaap de deur voor Amalia open. Ze stapte het felle zonlicht in. Even bewoog het zware gordijn heen en weer. Net ver genoeg om de uitgestoken hand van een stenen vrouw te kunnen zien.

De vrouw uit de kist. Het verhaal van Van Hasselt klopte.

Toen Amalia haar voet over de drempel zette, zag ze vlak naast de deur een zielige hand liggen. Afgebroken.

Het motief van Amalia

'Waarom begon je nou over een zakdoekje?' wilde Jaap weten.

'Het was een gok,' zei Amalia. 'Toen die lange dunne de voornaam van de gravin noemde, dacht ik: de naam Eugénie begint met een E. En ik dacht aan het zakdoekje.'

'Wat voor zakdoekje?'

'Raaf liep met een zakdoekje waar een E op stond geborduurd.'

'Maar dat had jij toch niet?'

Amalia haalde haar schouders op. 'Wat geeft dat? Het was maar een manier om binnen te komen.'

'Denk je dat die gravin echt de vrouw is van de Franse keizer?' wilde Jaap weten.

'Het klinkt te gek om waar te zijn,' zei Amalia. 'En toch geloof ik dat het zo is. En ik denk ook dat zij helemaal niets weet van die man in de kist. Jij?'

Jaap schudde zijn hoofd. 'Ik weet het niet. Als zij het niet is, wie dan wel?'

'De kok Enrico?'

'Ja. Of de gouvernante.'

Even aarzelde Amalia. Toen zei ze: 'Nee, die heeft er volgens mij niets mee te maken.'

'En dat moderne mevrouwtje?'

'Je bedoelt Mary Debenham? Die is medewerkster van de een of andere ambassade.'

'Maar verder weten we niets van haar.'

'Jack Forester is er ook nog.'

'Wie is dat?'

'De zakenman met de dubbele onderkin.'

'O ja,' zei Jaap. 'En je vergeet nog iemand.'

'Wie?'

'Jezelf. Heb jij een motief?'

Amalia dacht na. Wat zou ze doen als ze een fortuin bezat? Ze zou een stoeterij beginnen, met vurige Arabische rijpaarden. Dan was ze meteen verlost van die eeuwig saaie ritjes in een rijtuigje dat door een geitenbok werd voortgetrokken.

'Mijn motief is dat ik een verwend nest ben, om jouw woorden te gebruiken,' zei ze.

Jaap ging er niet op in. Hij zei: 'Kun je een reden bedenken waarom jouw eigen familie betrokken zou kunnen zijn bij deze zaak?'

Ze vond het een vervelende vraag. Wist ze eigenlijk wel wat haar vader deed? Hij had geld in overvloed. Maar wie in de handel zit, kan ook in één klap al zijn geld verliezen. En haar moeder was gek op juwelen...

'Je moet het bekijken vanuit het standpunt van Raaf,' hield Jaap vol.

'Mijn vader handelt in steenkool,' zei ze stug.

'Misschien gaat hij wel failliet,' opperde Jaap. 'Er is heel veel te doen over de levering van steenkool. De spoorwegmaatschappij gaat over op cokes. Daarmee kun je veel zuiniger stoken. Die cokes komen uit Engeland. Dat zal je vader niet zo leuk vinden.'

'Je kletst uit je nek. Dat is nog geen reden om uit stelen te gaan.'

'Ik zei toch: ik probeer te verzinnen met wat voor verdenkingen een detective op de proppen zou kunnen komen,' zei Jaap vergoelijkend. 'We vergeten er trouwens nog een paar. Volgens Raaf horen mijn vader en mijn oom ook op het lijstje thuis.'

De wind blies de bovenste krant van de stapel in hun richting. Jaap plukte het ritselende papier uit de lucht en maakte er een prop van.

'Geef eens hier,' zei ze. Ze probeerde de prop glad te strijken. Haar handen werden zwart van de inkt. Dat kon haar niets schelen. Het antwoord op een van hun vragen stond gewoon zwart op wit in de krant.

'Wat lees je?' vroeg Jaap.

Ze begon het voor te lezen.

'*Sedert vrijdag jl. bevindt zich in het Amstelhotel, onder behandeling van dr. Mager, de ex-keizerin van Frankrijk, Eugénie, onder den naam van gravin de Pierrefonds, vergezeld van mad. Lebreton. Laatstgenoemde is jaren geleden benoemd tot voorlezeres van Eugénie op de Tuilerieën. De keizerin heeft met haar gevolg een achttal kamers op de eerste verdieping in gebruik. De grootste eenvoud wordt betracht. Zij is geheel in het zwart gekleed; het haar is zilverwit, de gestalte vrij gezet, maar statig. Zaterdagavond wandelde zij licht steunend op een stokje, met mad. Lebreton door de voornaamste winkelstraten. Op zondag woonde zij de godsdienstoefening bij in de Duifjeskerk.*

Naar verwachting zal de ex-keizerin zich binnen enkele dagen per trein naar België laten vervoeren teneinde daar op de boot te stappen naar Engeland waar zij tegenwoordig zal zijn bij de plechtige overbrenging van de stoffelijke overschotten van haar man en haar zoon naar de fraaie grafkapel welke zij daar heeft laten bouwen.'

Jaap was er stil van.

'Weet je,' zei Amalia, 'zolang wij met elkaar in dat eersteklasrijtuig zitten, kan iedereen zich voordoen als een willekeurig ander iemand. Wie zegt dat de zakenman een zakenman is? Wie zegt dat de ambassademedewerkster een ambassademedewerkster is?'

Jaap knikte. 'Ik begrijp wat je bedoelt. En ik weet er nog een: wie zegt dat de detective een detective is?'

Een wonderbaarlijke uitvinding

'Jaap!'

Er werd geroepen.

'Dat is mijn vader,' zei Jaap. Hij stond op en deed een paar stappen naar voren. Ze zag hem verstijven. Met zijn hand achter zijn rug begon hij wild te gebaren dat zij moest blijven zitten waar ze zat; uit het zicht, achter de kiosk.

'Meneer Raaf zoekt je,' hoorde ze Jacob Gommers zeggen. 'En hij wil ook weten waar dat meisje is.'

'Welk meisje?' vroeg Jaap onnozel.

Toen hoorde ze ook de snerpende stem van de detective. 'Je begrijpt best wie ik bedoel. Ik bedoel dat grietje dat bij haar tante in de buurt van Parijs gaat logeren. Dat kind moet luisteren. Ik wil dat iedereen hier naar mij luistert!'

In een impuls besloot Amalia op te staan. Niet omdat ze bang was, maar omdat ze terug wilde naar het rijtuig. Ze wilde met de andere reizigers praten. Ze wilde praten met Forester en met Debenham. Hadden die iets te verbergen?

Ze deed een stap naar voren en riep: 'Hier ben ik.'

Raaf was kwaad. Hij mopperde, hij schold en hij stampte met zijn keurige molières op de grond. Maar hij kon Amalia niets maken. En dat wisten ze allebei.

'Ik ben heel erg in je teleurgesteld,' zei de detective. 'Van een slimme meid als jij had ik wat meer medewerking verwacht. En nu snel naar binnen, ik hou je in de gaten.'

'Sorry hoor, ik ga al,' zei Amalia zo luchtig mogelijk.

'Je kunt me helpen door meneer Van Hasselt te zeggen dat ik hem nog even wil spreken in het restauratierijtuig,' besloot Raaf.

Terug in het rijtuig liep Amalia meteen op de directeur af. Hij was in gesprek met zakenman Forester.

'Raaf wil u spreken,' zei ze. Ze wees in de richting van het andere rijtuig. Van Hasselt vertrok.

'Mag ik hier gaan zitten?' vroeg Amalia. Ze stelde zich voor. Toen ze haar achternaam noemde, veerde Forester op en zei: 'Maar dan ken ik je vader.'

Ze ging er niet op in. 'Wist u dat de oude dame in het zwart niet een gewone gravin is?' vroeg ze.

'O.'

'Ze is in werkelijkheid de weduwe van de Franse keizer. Wist u dat echt niet?'

'Om je de waarheid te vertellen: ja, dat wist ik. Van Hasselt vertelde dat dat ook de reden is dat hij meereist. Hij wil er zeker van zijn dat het de oude dame aan niets ontbreekt.'

'Kunt u mij vertellen waarom u zelf tot de verdachten zou kunnen behoren?' Amalia voelde zich een echte detective.

Forester haalde een zakdoek uit zijn zak en depte er zijn bezwete gezicht mee af. Het boordje van zijn overhemd was doorweekt.

Amalia ging nog een stapje verder: 'U zou het geld vast wel kunnen gebruiken.'

'Meisje, ik zal je iets uitleggen,' zei Forester. Hij klonk licht geïrriteerd, maar ging er toch voor zitten om haar vragen te beantwoorden.

'Ik neem aan dat je iets begrijpt van geldzaken. Jouw eigen vader heeft grote belangen in de steenkoolhandel. Daar zul je ongetwijfeld wel eens iets van hebben vernomen.'

'Ik weet er alles van,' zei Amalia, niet geheel naar waarheid.

'Veertig jaar geleden werd in ons land de eerste spoorlijn aangelegd,' ging Forester onverstoorbaar verder.

'Haarlem – Amsterdam, 1839,' zei Amalia snel. 'En de mensen waren er bang voor.'

'Precies. Maar toen de eerste schrik verdwenen was, werd het spoor een doorslaand succes. Overal in het land werden plannen gemaakt voor nieuwe lijnen. Er werden allerlei particuliere maatschappijen opgericht, en ook de overheid begon zich met het spoor te bemoeien. Niet in de laatste plaats door de persoonlijke interesse van Koning Willem. Als onze slimme detective beweert dat er grote belangen op het spel staan, heeft hij gelijk. Er is sprake van een moordende concurrentie. Het zou mij niet verbazen als ze dit station Maliebaan over een paar jaar moeten opgeven. De treinen naar het zuiden zullen dan allemaal gebruikmaken van het Centraal Station.'

'Maar wat moet er dan met dit mooie gebouw gebeuren?' vroeg Amalia.

'Ach, desnoods maken ze er een museum van,' zei Forester laconiek. 'Maar wat ik je wilde vertellen is dit: ondanks de grote strijd die aan het woeden is tussen de spoorwegmaatschappijen en de overheid, is er geen sprake van geldgebrek. Het gaat erom: wie mag waar een spoorlijn aanleggen? Wie mag over de rails rijden die door anderen zijn aangelegd, en tegen welke prijs? Wie laat de beste locomotieven bouwen? Wie mag steenkool leveren? Of worden het cokes? Of wordt het...' De zakenman keek haar aan of hij haar een wonder ging openbaren. 'Wat denk je?'

Amalia had geen idee.

'Elektriciteit!' zei Forester triomfantelijk. 'Ik doe mij wel voor als zakenman, maar in werkelijkheid ben ik uitvinder. En ik heb een uitvinding gedaan die de wereld zal veranderen. In de toekomst zullen alle toestellen op elektriciteit werken. Alles wordt verlicht met elektrische lampen. Er zullen zelfs treinen komen die rijden op elektriciteit...'

Amalia kon zich hier absoluut geen voorstelling van maken. Ze vroeg: 'Heeft u dat aan meneer Raaf verteld?'

'Natuurlijk niet, jongedame. Die man hoeft toch niet te weten wie ik ben? Ik heb hem verteld dat ik uit Australië kom en dat ik geld wil investeren in de spoorwegen.'

'En wat zei hij toen?'

'Hij zei dat hij dat hoogst verdacht vond. Hij ging er werk van maken.'

In haar hoofd schrapte Amalia Forester van haar lijstje af. De man had niets met de kist en niets met het geld en de juwelen te maken. Hij was alleen maar geïnteresseerd in zijn uitvinding.

Er bleef nog één verdachte over. Mary Debenham.

Het verhoor

Op het moment dat Amalia besloot dat het tijd werd Mary Debenham een paar gerichte vragen te stellen, kwam Van Hasselt terug. Hij had rode vlekken in zijn gezicht.

'Die man is geschift,' brieste hij. 'Hij wil vertrekken!'

'Lijkt me niet zo'n gek idee,' zei Forester.

'Maar hij dwingt me om die kist met inhoud en al mee te nemen.'

'Lijkt me nog een veel beter idee,' zei Forester. 'Hij wil natuurlijk weten wie op de plaats van bestemming die kist komt ophalen. Iemand op heterdaad betrappen, noemen ze dat in politietermen.'

'Ik werk er niet aan mee. Ik wacht tot de politie er is.'

'Ik denk dat die wordt tegengehouden door de broer van meneer Raaf.' Amalia kon het niet laten zich met het gesprek te bemoeien.

'Hoe kom je daar nou bij?' vroeg Van Hasselt verbaasd. 'Trouwens, Raaf wil je spreken.'

'Mij?'

Van Hasselt knikte.

Bij het verlaten van het rijtuig wierp Amalia een snelle blik in de rookcoupé. Mary Debenham zat met haar boek op schoot. Maar lezen deed ze niet. Ze schreef.

Terwijl Amalia overstak naar het restauratierijtuig op het andere spoor, herschikte ze haar kleren. Ze voelde aan haar haren, die piekten zweterig alle kanten op. Alle slag was er uit verdwenen. Daarom zette ze haar zomerhoed weer op.

De detective wachtte haar op aan een gedekte tafel. Voor hem stonden schalen met druiven en met pasteitjes. Een bijna lege karaf stond in een plasje rode wijn en overal lagen paperassen.

'Ga zitten,' zei Raaf. Hij stond op om haar stoel aan te schuiven, maar dat had ze zelf al gedaan voor hij daar de kans toe kreeg. Amalia telde de knopen op Raafs jasje. Het was de Raaf van de verdwenen knopen.

'Wat kan ik voor je doen?' vroeg hij zonder haar aan te kijken.

'U had toch naar mij gevraagd?'

'Mmm... Ja, ik wil graag iets weten over je familie.' Hij pakte een volgekalkt kladblok.

Amalia liet haar blik over de bladzijden glijden. Ze probeerde het handschrift van Raaf te ontcijferen. Zijn hanenpoten waren te kriebelig om zich op de kop te laten lezen. Ze kwam niet verder dan zoiets als: *Van Hasselt arreslee.*

'Ik begrijp dat je onderweg bent naar je oom en tante,' begon Raaf.

'Ja, dat klopt. Ze hebben een villa in Le Vésinet.'

'Je oom heeft een grote kunstverzameling. Heb je enig idee hoe hij aan het geld gekomen is om zoveel kunst te kunnen kopen?'

'Ik geloof dat mijn oom voor dokter heeft gestudeerd. Mijn tante is wel vermogend. Haar vader, mijn opa, heeft veel geld verdiend in de steenkolenhandel.'

'Is er iets dat je mij zou kunnen vertellen dat verband houdt met deze uitzonderlijke geschiedenis?'

'Hoe bedoelt u?'

'Je weet dat er een man in de kist lag. Ken je die?'

Ze wist niet wat ze hoorde. Hoe kon zij de man in de kist kennen?

'Na zijn aanhouding weigerde hij zijn naam te noemen. Hij mompelde een paar woorden in het Frans. Dat is vreemd. In de kist zaten ook een tas en een koffertje. En weet je wat daarin zat?'

Ze schudde haar hoofd, hoewel Jaap het haar had verteld.

'Juwelen! Robijnen, diamanten, parels, gouden en zilveren sieraden. En geld! Papiergeld en aandelen. Die zijn veel geld waard.' Hij keek haar nu strak aan. 'Het waren aandelen in de steenkoolhandel. Heb je enig idee waar diamanten van worden gemaakt? Het begint met moeras. Je weet wel: turf. Na een paar miljoen jaar is dat turf veranderd in bruinkool. Dat bruinkool verandert in nog eens een miljoen jaar in steenkool. En steenkool verandert in…?'

Ze besloot niet te reageren.

'Diamant,' riep de detective triomfantelijk.

'O,' zei ze, 'zit dat zo.'

Het duurde miljoenen jaren voor steenkool diamant was. Waarom zou je dat dan willen stelen? Wat die Raaf suggereerde was allemaal onzin!

De detective schonk de karaf leeg in zijn glas. Hij liet zich in de kussens zakken en vroeg op een andere toon: 'Wat ben je allemaal te weten gekomen?'

'Ik? Ik weet van niets.'

'Volgens mij weet je heel goed waarmee je bezig bent. Je loopt me voor de voeten, begrijp je dat? Je moet niet proberen samen met die Jaap de wijsneus uit te hangen. Als we samenwerken, kan deze trein vandaag nog vertrekken. Dat is toch in ieders belang, niet waar?'

Amalia stond op. 'Ja, het zou wel fijn zijn als we konden

vertrekken,' zei ze. Ze pakte een handje druiven van de schaal en maakte een kleine buiging voor de man van het inlichtingenbureau.

Voor ze de deur van het restauratierijtuig bereikte, hoorde ze hem nog zeggen: 'Als je je niet aan de afspraken houdt, sluit ik je op in de voorraadkast. Heb je dat goed begrepen?'

Debenham ontmaskerd

'Wat gaan we nu doen?' informeerde Jaap.

'We weten nog steeds niet wie Mary Debenham in werkelijkheid is,' zei Amalia.

'Vertrouw je helemaal niemand meer? Je lijkt Raaf wel.'

'Dat is een goede vraag,' zei ze. 'Wat zou jij in zijn plaats doen? Ik bedoel: wat zou jij doen als je Raaf was en je was betrokken bij deze affaire?'

Eerst keek Jaap haar verbaasd aan, toen zei hij resoluut: 'Dan zou ik het heel anders aanpakken. Ik zou zorgen dat de trein zo snel mogelijk vertrok. Hoe sneller het land uit, hoe beter.'

'Met of zonder die kist?' wilde Amalia weten.

'Met die kist natuurlijk.'

'Met die man in de kist of zonder?' hield Amalia vol.

'Met die man in de kist,' besliste Jaap. 'En dan zou ik vrienden inschakelen die op de plaats van bestemming die kist komen ophalen.'

Amalia knikte instemmend. 'Raaf wil inderdaad vertrekken. Maar Van Hasselt houdt voet bij stuk. Hij wil de kist niet meenemen.'

Ze keek naar de stationsklok. 'We staan hier nu al bijna vier uur. Het schiet helemaal niet op. We hebben iemand nodig die ons helpt.'

'Maar wie dan?'

'Iemand die niet verdacht is: Lodewijk.'

'Dat is nog maar een kind! Hoe kan hij ons helpen?'

'Die jongen valt niet op. Hij kan gaan en staan waar hij wil. Raaf vindt hem grappig. Hij zal niet snel in de gaten hebben dat wij Lodewijk als informant gebruiken.'

'En hoe ben je van plan om dat aan te pakken?'

'Ik ga Lodewijk vragen of hij buiten komt spelen.'

Amalia ging het eersteklasrijtuig binnen. Lodewijk zat zich stierlijk te vervelen. Ze kwam op het goede moment.

Ze stapte op hem af en vroeg: 'Heb je zin om buiten te komen spelen?'

'Nee, dat zal niet gaan,' zei de gouvernante. 'We moeten allemaal binnenblijven.'

'De volwassenen, ja,' zei Amalia. 'Maar de kinderen mogen spelletjes doen op het perron.'

Het was niet nodig op antwoord te wachten. Lodewijk was al opgesprongen, greep haar hand en liet zich meevoeren het rijtuig uit.

'Doen we ik-zie-ik-zie-wat-jij-niet-ziet?' stelde Lodewijk voor.

'Dat is een goed idee,' zei Amalia. 'Maar ik weet nog een leuker spelletje. Het heet: ik-hoor-ik-hoor-wat-jij-niet-hoort.'

'Leg uit,' zei Jaap.

Amalia legde uit dat het een vorm van verstoppertje was waarbij iedereen moest proberen grote mensen af te luisteren.

Lodewijks ogen begonnen te glinsteren. 'Mag ik dan ook op de locomotief?'

'Straks,' zei Amalia. 'Weet je wat we doen? Jij bent zogenaamd de conducteur. Zie je daar die tas? Als je die omdoet, zie je er ook echt als een conducteur uit, dan kun je de plaatsbewijzen controleren.'

'Denk je echt dat dat mag?'

'Jij mag toch altijd alles?'

Lodewijk knikte.

Amalia koerste recht op Mary Debenham af. Ze liet zich op de bank tegenover haar ploffen. Jaap bleef aarzelend staan in het gangpad.

'Houdt u van spannende boeken?' vroeg Amalia.

Debenham keek op. 'Hoezo?' vroeg ze.

'In dat soort boeken weet je eigenlijk nooit wie wie is...'

'Is dat zo?' Weer een vraag.

'Net als in dit rijtuig. De gravin is een ex-keizerin. De kok is een mislukte operazanger. De zakenman is een uitvinder...' Amalia stopte even.

'En nu wil je zeker weten wie ik ben?' Debenham begreep heel goed waar Amalia heen wilde. Maar ze gaf zich nog niet meteen gewonnen. 'Waarom zou ik jullie dat moeten vertellen?' vroeg ze.

'We hebben bijna iedereen ontmaskerd,' zei Jaap. 'Behalve u.'

'Dat is een goede grap,' zei Debenham lachend. 'Proberen jullie het werk van die Raaf over te doen? Die probeert ook iedereen verdacht te maken.'

'Heeft u hem verteld wie u bent?' wilde Jaap weten.

Debenham schudde haar hoofd. 'Dat gaat hem niets aan. En jullie ook niet.'

Jaap maakte aanstalten om weer weg te gaan. Maar Amalia had nog een laatste troef achter de hand. 'Als u kunt verklaren waarom u niets met die juwelen te maken heeft, blijft er nog maar één verdachte over,' zei ze.

'En dat is?' vroeg Mary Debenham.

'Raaf zelf,' zei Amalia. 'In dat geval is hij de enige die overblijft zonder alibi.'

Debenham floot tussen haar tanden. 'Jullie spelen een gevaarlijk spel. Ik moet er eerlijk gezegd niet aan denken dat jullie gelijk hebben. Die man zou wel eens gevaarlijk kunnen zijn.'

'Hij is niet alleen,' zei Jaap. 'Ze zijn minstens met z'n tweeen. Misschien wel met z'n drieën.'

'Er is er een mét knopen en één zonder knopen,' lichtte Amalia toe. 'Die andere Raaf heeft er alles aan gedaan om de politie op een afstand te houden. En dat is hem waarschijnlijk goed gelukt.'

Debenham begon in haar tas te rommelen. Ze haalde een sigaret uit haar koker en stak hem in het gouden pijpje.

'Jongens, dit kan echt niet,' zei ze. 'Jullie moeten hiermee stoppen. Aan de andere kant: petje af voor wat jullie allemaal te weten zijn gekomen. Daar ben ik eerlijk gezegd wel een beetje jaloers op.'

'Wie bent u dan?' vroeg Amalia. 'Ik zie u steeds schrijven. Bent u soms zelf ook een detective?'

Debenham gaf het op. Ze knipte haar aansteker open, zoog het vlammetje het uiteinde van haar sigaret binnen en zei: 'Ik werk voor een damesblad. Ik ben hier op een speciale missie. Mijn baas heeft me op pad gestuurd om madame de Pierrefonds te bespieden. Zoals jullie hebben ontdekt is ze de vrouw van de vroegere keizer van Frankrijk: Napoleon. Niet de Napoleon van de Franse revolutie, maar Napoleon de derde. Onze lezers zijn gek op dat soort verhalen. Ze willen precies weten wat de rijke en belangrijke mensen der aarde allemaal uitspoken. Maar je snapt wel dat die er zelf niet zo gek op zijn om te worden achtervolgd door persmuskieten. Dus doe ik mijn werk in het grootste geheim. Ik ben incognito. Net als Forester. En net als madame Eugénie. Maar als ik het goed begrijp hebben jullie iedereen al ontmaskerd.'

'U bent journaliste,' concludeerde Amalia.

Mary Debenham knikte. 'Misschien moet ik nu iets gaan schrijven over tassen vol geld en juwelen, over een man in een kist en over een detective die iedereen een rad voor ogen draait...'

Ze blies een grote kring rook uit en drie paar ogen volgden de uitdijende cirkel.

Plotseling klonken er luide voetstappen op het perron.

'Kijk nu eens,' riep Mary Debenham uit.

Twee mannen met hoge hoeden beenden met grote passen op hun rijtuig af. Waarom hadden die mannen zo'n haast?

De arrestatie

Kleine Dikke en Lange Dunne kwamen voor Van Hasselt.

'Gaat u met ons mee?' vroeg de lange aan de directeur. Het was geen vraag, het was een bevel. Met een knikje naar de andere reizigers verliet Van Hasselt het rijtuig. Het gebeurde zo snel dat niemand de kans kreeg om te protesteren. Uit het raam keken ze toe hoe hij werd afgevoerd.

'Ik hoop dat Lodewijk goed heeft opgelet,' zei Jaap zacht.

Amalia knikte. Gespannen tuurde ze naar buiten. Waar bleef die jongen?

Eindelijk klonken er voetstappen. Maar het was niet Lodewijk die in aantocht was, het was Raaf die op het rijtuig toeliep. Met een sprong belandde hij op het balkon. En meteen verscheen zijn verhitte gezicht in de deuropening. Zijn snorpunten wezen alle kanten op. Maar dat weerhield hem er niet van om met een triomfantelijke blik te zeggen: 'Dames en heren, ik heb de zaak tot een goed einde kunnen brengen. De dader is aangehouden en in bewaring gesteld.'

'Nee,' zei Jaap, 'dat kan niet.'

'Moet jij niet eens aan het werk?' vroeg Raaf vinnig. 'Je vader is al begonnen kolen op het vuur te gooien. Vort. Wegwezen. We vertrekken over één minuut.'

Plotseling sprong juffrouw Elisabeth op en wierp zich gillend op de detective: 'Wacht! Nee, dat is onmogelijk. Laat me er door. Ik moet Lodewijk gaan zoeken!'

Raafs rode hoofd barstte bijna uit elkaar. De zweetdruppels hingen aan zijn snorpunten.

Amalia stond op. Ze moest iets doen. Ook al wist ze niet goed wat. Raaf keek haar dreigend aan. Hij brulde: 'Iedereen blijft zitten!' en stormde de trein uit.

Een paar tellen later klonken er weer voetstappen op het perron. Het waren de deftige pasjes van madame Eugénie en haar gezelschapsdame. De dames hesen zich met moeite het rijtuig binnen.

'Zullen we een spelletje doen?' hoorde Amalia plotseling naast zich vragen. Maar voor ze iets kon zeggen, werd Lodewijk door zijn gouvernante beetgepakt en op schoot getrokken. 'Ach, jongen, wat heb je me ongerust gemaakt,' klonk het huilerig.

Maar Lodewijk ontworstelde zich aan haar omklemming en kroop tegen Amalia aan. Fluisterend begon hij verslag uit te brengen.

'Heb je gezien dat die twee mannen met hoge hoeden Van Hasselt hebben opgehaald?'

Amalia knikte.

'Hij is de dader. Raaf heeft hem laten arresteren. Ze hebben hem opgesloten.'

'Dat meen je niet. Van Hasselt heeft er niets mee te maken. Die is onschuldig.'

'Zie je dat? Daar komen de politiemannen ook aan.' Lodewijk wees naar buiten.

Amalia keek uit het raam. Ze ving nog net een glimp op van de twee hoge hoeden. Ze realiseerde zich dat ze nog steeds niet wist wie het waren. Als ze niet van de politie waren, wat waren ze dan? Wat hadden ze met de oude keizerin te maken? Wat dom van hen dat ze Kleine Dikke en Lange Dunne niet hadden ontmaskerd!

Even later verschenen de twee in het gangpad. Ze deden

hun hoeden af en gingen in de buurt van madame Eugénie zitten.

Amalia keek om zich heen of de kust veilig was. Toen stond ze op en liep naar het andere eind van de coupé. Ze koos de bank recht tegenover de twee mannen.

'Mag ik u iets vragen?' zei ze gehaast.

'Ga je gang, jongedame,' antwoordde de dikke.

'Bent u van de politie?'

'Daar mogen we eigenlijk geen antwoord op geven, meisje,' zei de lange.

'Ik moet weten wie u bent,' hield Amalia vol. 'We zijn in gevaar. Wij allemaal!'

De mannen keken elkaar aan. Toen nam Kleine Dikke het woord en zei: 'We kunnen je geruststellen. Wij werken voor een particulier beveiligingsbedrijf.'

Lange Dunne nam het over: 'Wij waken over de veiligheid van gravin de Pierrefonds.'

'Maar als u niet van de politie bent, hoe kunt u dan de spoorwegdirecteur arresteren?'

'Dat hebben we gedaan op verzoek van de heer Raaf,' legde Kleine Dikke uit. 'We hebben Van Hasselt opgesloten in de kapsalon.'

'Maar dan heeft u zich laten beetnemen!' riep Amalia uit. 'Van Hasselt heeft niets gedaan. Raaf houdt ons voor de gek.'

De twee mannen keken haar ongelovig aan.

'De trein mag niet vertrekken.' Amalia probeerde zo overtuigend mogelijk te klinken. 'Jullie moeten Raaf tegenhouden!'

Plotseling klonken er harde voetstappen in het gangpad. Amalia keek om. Hijgend en snuivend kwam detective Raaf op haar afstormen.

'Meekomen!' siste hij. 'Ik had je gewaarschuwd. Je hebt je niet met mijn zaken te bemoeien!'

Amalia keek de twee hoge hoeden smekend aan. Maar toen ze de besluiteloosheid in hun ogen zag, hakte ze de knoop door en spurtte via de rookcoupé naar de andere uitgang. Ze deed de deur open en smeet hem midden in het gezicht van Raaf dicht. Net op tijd bereikte ze het perron. Ze zette het op een lopen in de richting van het grote stationsgebouw.

'Hou haar tegen! Grijp dat kind!' klonk het.

Ze hoorde voetstappen en een hijgende ademhaling achter zich.

'Stop nou. Wacht op mij!'

Het was Jaap. 'Verstop je. Hij is gewapend!' riep hij.

Ze keek achterom. Wat bedoelde hij?

'Amalia, kijk uit!'

In volle vaart rende ze tegen een bagagewagentje op. De leren koffers vielen als de blokken van een blokkentoren tegen de grond.

'Blijf staan!'

Raaf zat hen op de hielen. Ze hoorden hem scheldend en tierend over de koffers heen vallen.

'Naar de werkplaats,' gebood Jaap.

Ze rende achter hem aan langs locomotieven, karren met gereedschappen, assen met wielen. Ze glipten door de deuren van een opslagloods. Het was er koel en stil. Ze verborgen zich tussen de goederen die in stapels lagen opgeslagen.

Nahijgend luisterden ze naar de geluiden om hen heen. Zou Raaf erin slagen hun schuilplaats te ontdekken?

Het bleef stil. Langzaam kwam haar ademhaling tot rust. Ze waren veilig.

Maar plotseling hoorde ze een verontrustend geluid. Het klonk als zacht geritsel, alsof er ratten door de opslagloods trippelden.

Jaap wees met zijn hand. Ze zag koffers. Ze zag een stapel dozen. Toen zag ze onder de dozen een lange houten kist. En plotseling begreep ze waar ze naar keek. Ze keek naar de kist met de man met de koffer en de tas.

Op de vlucht

Op hun knieën kropen Amalia en Jaap in de richting van de kist. Op een paar meter afstand bleef Amalia zitten. Ze durfde niet verder. Uit de kist klonk gebonk en geroep. 'Help! Is daar iemand?'

Jaap ging naast de kist zitten en vroeg zacht: 'Wie bent u?'

'Alsjeblieft, haal me hier uit,' klonk het gedempt. 'Waarschuw de politie. Ik wil worden gearresteerd.'

Jaap keek Amalia vragend aan. 'Hij wil worden gearresteerd. Wat moeten we doen?'

Amalia was te verbijsterd om iets uit te kunnen brengen. Had niemand zich al die uren om Ruitbroek bekommerd? Hoorde dit zielige piepstemmetje bij een doortrapte misdadiger?

'Wat heb je met Raaf te maken?' vroeg Jaap streng. Het was een goed idee van hem om de man in zijn benarde positie aan de praat te krijgen. Zo konden ze te weten komen wat er precies was gebeurd.

'Niets, helemaal niets,' was het antwoord. 'Ze hebben mij betrapt. Nu proberen zij er met de buit vandoor te gaan.'

Amalia overwon haar angst en kroop naar voren tot ze naast Jaap zat.

'Maar waarom heeft u zich dan verstopt in een kist?'

'Wat moest ik anders? De gebroeders Raaf wilden me grijpen. Toen zag ik die kist staan. Ik heb de inhoud eruit gehaald en een telegram gestuurd aan mijn vrienden dat ik eraan kwam. Toen ben ik in de kist gaan liggen en heb de deksel aan de binnenkant vastgemaakt. Maar nu is alles mislukt. Zo-even hebben twee van die Raven mijn tas en mijn koffer gestolen...'

'Dus als ik het goed begrijp, wisten de broers in het begin helemaal niet dat u in die kist zat?' vroeg Jaap.

'Ze wisten alleen dat ik de trein zou nemen,' klonk het zacht vanuit de kist. 'Ik heb nog geprobeerd ze om de tuin te leiden door Frans te gaan praten. Maar een van de Raven heeft me gezien. Kijk uit voor die mannen. Ze zijn levensgevaarlijk.'

Amalia keek Jaap aan. 'Moeten we hem er niet uitlaten?' vroeg ze zacht.

Jaap schudde resoluut zijn hoofd. 'Nee, dat kunnen we niet doen.'

Amalia wilde nog één ding weten: 'Waar wilde u naartoe?'

Er kwam geen antwoord.

'U moet ons helpen,' zei Jaap op een dwingende toon. 'Wat is uw bestemming?'

Er kwam een zacht gemompel uit de kist. Amalia kon het niet verstaan.

Op dat moment klonken er voetstappen in de loods. Ze draaide zich om en keek in het uitgestreken gezicht van een van de detectives.

Jaap sprong op en pakte haar bij de arm. Ze vluchtten weg. Maar voor ze de uitgang vonden, stonden ze oog in oog met nog precies zo'n zelfde Raaf. Hetzelfde jasje, dezelfde snor, hetzelfde zweterige uiterlijk. Maar met twee ontbrekende knopen.

Ze konden geen kant op! dacht Amalia paniekerig. Maar Jaap kende deze stationsgebouwen als geen ander. Hij trok haar mee tussen oude wagonnetjes door en langs een kleine locomotief waarop ze nog net de naam *De Arend* kon lezen. Dit moest de eerste locomotief van Nederland zijn die achteraf toch niet de allereerste locomotief was geweest.

'We gaan naar de kapper,' hijgde Jaap naast haar.

Heel even vroeg ze zich af of de stokersjongen gek was geworden, maar al snel begreep ze wat hij bedoelde. Jaap wilde op zoek naar de spoorwegdirecteur. Die kon hen misschien helpen.

Voorthollend staken ze sporen over en kwamen op het eerste perron, waar het leven doorging of er niets aan de hand was. Voor de kapsalon bleven ze eindelijk staan. Amalia keek om zich heen, maar het leek erop dat ze de twee Raven van zich af hadden weten te schudden.

Jaap richtte het woord tot een man die met zijn handen in het haar op een bankje zat te kermen.

'Waar is Van Hasselt?'

Het mannetje wees naar de deur achter hem. 'Opgesloten,' zei hij. 'Hoe kan ik nu mijn werk doen? Mijn zaak zit op slot. De detective heeft de sleutel meegenomen. Hij zegt dat ik geduld moet hebben tot de politie de zaak heeft afgehandeld. Welke zaak? Ik weet van niks!'

'Het gaat om die kist in de trein naar Parijs,' zei Jaap.

'Maar die trein is allang vertrokken!' riep de kapper.

Toen begreep Amalia dat niemand in het station wist wat er allemaal aan de hand was. En toen ze rondkeek wist ze ook meteen hoe dat kwam: de locomotief en de twee rijtuigen waren vanaf het eerste perron compleet onzichtbaar. Alle andere rijtuigen waren inderdaad allang vertrokken, zoals Van Hasselt had gezegd, getrokken door een vervangende locomotief. Misschien waren ze zelfs al in Antwerpen of Brussel aangekomen.

'De politie heeft nooit de kans gekregen zich ermee te bemoeien,' zei Jaap langzaam. 'Ze hebben zich laten afpoeieren, door de gebroeders Raaf, Raaf en Raaf. Die hebben iedereen gewassen, geknipt en geschoren.'

Amalia knikte. Dat had zij ook bedacht.

'Kom,' zei hij toen. 'We moeten hier niet blijven wachten tot we opnieuw worden ontdekt.'

Ze verstopten zich in de goederengang. Koffers en kisten genoeg om uit het zicht van de detectives te blijven.

'Ik vraag me af waar die Raaf nummer drie zich ophoudt?' zei Amalia.

'Dat doet er nu niet zoveel toe,' vond Jaap. 'We moeten een plan maken.'

'We waarschuwen de politie,' zei Amalia.

'Denk je dat ze ons geloven?'

'Misschien wel, misschien niet...'

'Nee, we moeten Raaf helpen om de trein te laten vertrekken,' zei Jaap. 'Ik zou graag willen weten, wat er gebeurt als die kist op zijn bestemming aankomt. En wie hem komt afhalen.'

'Maar toch niet met die enge Bertold Raaf aan boord?'

'Raaf moet mee. Hij moet denken dat zijn plan nog steeds uitvoerbaar is. We moeten hem laten geloven dat we meewerken.'

'Hoe?'

'Net doen of we gek zijn. Ons onnozel gedragen. Bang zijn. Daar trapt hij vast in. Hij kan niet anders. Hij zit gevangen in zijn eigen val.'

Amalia aarzelde.

'Het is de enige manier om erachter te komen wie er allemaal achter dit complot zitten,' zei Jaap.

Ze liet zich door hem overtuigen. En dat kwam ook doordat ze nu wist dat ze zich niet ongerust hoefde te maken
over haar moeder. Die dacht dat ze al uren onderweg was
naar Parijs.

Ze had nog één vraag: 'En hoe krijgen we die kist aan
boord?'

'Dat hoeven wij niet te doen,' antwoordde Jaap. 'Zodra
wij hem helpen vertrekken, zal hij de kist in de trein laten
zetten.'

'Maar ik pieker er niet over om bij Raaf in het rijtuig te
gaan zitten.'

'Dat hoeft ook niet,' zei Jaap. 'Je reist met ons mee op de
Nestor.'

'We weten nog niet waar de kist naartoe moest,' zei Amalia. 'Ik kon niet verstaan wat die man in de kist zei.'

'Ik wel,' zei Jaap. 'Ik verstond duidelijk: zoom.'

De treinreis

Harry Gommers, de perronchef, tikte Raaf op zijn schouder. De detective reageerde alsof hij door een wesp gestoken werd. Hij draaide zich met een ruk om.

'De ketel is op stoom, we kunnen vertrekken,' zei Jaaps oom.

'Ik mis nog twee reizigers,' reageerde Raaf hijgerig.

'Volgens mij is iedereen aan boord,' antwoordde de perronchef. De keizerin en haar gevolg, de gouvernante en het kind, de zakenman, het mevrouwtje dat rookt als een schoorsteen, alleen de directeur is er niet...'

'Ik bedoel die twee vervelende kinderen,' viel de detective hem in de rede.

Amalia en Jaap hielden hun adem in. Wat zou de perronchef zeggen? Zou hij zijn belofte houden?

'O, die twee,' zei Gommers laconiek. 'Die heeft mijn broer Jacob voor straf opgesloten. Ze zitten tussen de kolen op de tender. Het zijn natuurlijk maar kinderen, maar dat wil niet zeggen dat je het goed moet vinden als ze ongehoorzaam...'

'Mooi!' riep Raaf uit, 'dan kunnen we vertrekken. Tenminste, als jullie ervoor hebben gezorgd dat die kist uit de loods is gehaald en aan boord is gebracht.'

'Komt in orde.'

De perronchef tikte aan zijn pet en gebaarde naar zijn broer, de stoker, dat hij hem moest komen helpen om de kist op het balkon te zetten.

In de tender haalden Amalia en Jaap opgelucht adem. Hun plan leek te lukken. Nu moesten ze er nog voor zorgen dat Raaf in Bergen op Zoom werd aangehouden.

Jaap trok zijn vader aan de mouw en zei: 'Fijn dat je ons helpt. Als we straks in Bergen op...'

'Wacht even, Jaap,' zei de stoker. Hij klonk geïrriteerd. 'Ik heb nu al een paar keer tegen je gezegd dat je je nergens mee moet bemoeien. Ik kan niet overzien wat er gebeurt...'

'Maar we moeten iets doen, vader!' riep Jaap uit.

'We moeten aan het werk. Kom, steek je handen uit de mouwen.'

Jaap haalde zijn schouders op, pakte een schep en begon daarmee in de kolenberg te wrikken.

Amalia maakte kennis met de machinist. Tot haar verbazing droeg de man een wit jasje. Hij sloeg gelukkig geen acht op haar. Alsof het de gewoonste zaak van de wereld was dat een meisje van haar stand meereisde in het machinistenhuis van een stoomlocomotief.

Samen met Jaaps vader controleerde de machinist het wonderlijke bedieningspaneel met kijkglazen, meters, hendels en draaiwielen.

Jaap schoof een ijzeren luik open en begon met een schep kolen op het vuur te gooien.

Het trompetsignaal van de conducteur schalde over het perron. De machinist gebaarde haar dat ze het enige krukje dat in het machinistenhuis te vinden was, voor hem moest vrijmaken. Ze begreep het wel, ze zat in de weg. Maar dat betekende dat ze de hele weg moest blijven staan, of een plekje moest zoeken tussen de steenkoolvoorraad.

Jaap zag haar aarzelen. Hij legde de schep weg, schopte

met zijn schoenen een kuil in de berg en legde daar zijn jasje in. Lachend wees hij haar zijn zelfgemaakte zitplaats. Ze knikte dankbaar naar hem. Alles was beter dan die oververhitte eersteklascoupé waarin detective Raaf de scepter zwaaide.

Nu maakte ze deel uit van de wereld van Jaap. Hij deed zijn best om haar te laten begrijpen waar alles voor diende en hoe het mogelijk was dat deze kolos van staal zich kon voortbewegen. Ze begreep wel dat de kolen werden gebruikt om water te verhitten. Wat ze ook nog kon begrijpen was dat dat water veranderde in stoom. Maar wat ze zich met geen mogelijkheid kon voorstellen was hoe die stoom wielen kon laten draaien.

'Het gaat zeker net als bij een raderboot?' opperde ze. 'De stoom wordt tegen een schoepenrad geblazen.'

Ze zag dat de machinist en de stoker elkaar veelbetekenend aankeken. Dit was natuurlijk echt een meisjesoplossing. Jongens wisten hoe die dingen werkten. Die hoefde je zoiets niet uit te leggen.

Braaf begon Jaap aan een lange uitleg: 'De stoom uit de ketel zet een zuiger in werking. Die zuiger gaat heen en weer in de cilinder. Nu moet er natuurlijk voor worden gezorgd dat die heen-en-weerbeweging wordt omgezet in een draaiende beweging. Dat doet de drijfstang, die is met een krukas verbonden aan het drijfwiel. De drijfstang trekt en duwt het wiel als het ware in de rondte.'

Het was vergeefse moeite. Maar één ding begreep ze wel: Jaap had een duidelijk doel voor ogen. Op een dag zou hij stoker zijn. En van stoker zou hij opklimmen tot machinist. Dan zou hij zelf aan de glanzend gepoetste koperen hendels en draaiwieltjes mogen komen. Dan zou hij heer en meester zijn over vuur en stoom.

Het was hard werken. Toch genoot de jongen met volle teugen. Hij snoof de geuren om zich heen op alsof hij ronddanste op een feest met mooie geparfumeerde dames. En eigenlijk moest ze wel toegeven dat het er lekker rook, in het machinistenhuis. Het was een heftige mengelmoes van olieachtige geuren. In de verte deed het haar denken aan het haardvuur thuis, maar dan met een vleug avontuur. Ze genoot van de buitenlucht, van het groen dat langs hen heen schoot.

'Weet je wat ik niet snap?'

Jaap kwam naast haar zitten. De hongerige vuurmond van de stoommachine had hij afgesloten. Met zijn handen veegde hij de haren uit zijn gezicht en meteen zat er weer een zwarte veeg op zijn voorhoofd. Zo zag hij er ook uit toen ze hem een aantal uren geleden voor het eerst had gezien. Het stond hem wel goed. Aan een stoker moet je kunnen zien dat hij hard moet werken.

'Raaf probeerde toch eerst de zaak op te lossen?' zei hij.

Amalia schudde haar hoofd.

'Nee, hij heeft vanaf het begin alles in het werk gesteld om iedereen een rad voor ogen te draaien, zoals Mary Debenham zei. En het is hem gelukt ook!'

'Ja, zo moet het zitten,' zei Jaap. 'Het hele complot is een verzinsel van Raaf zelf. En ze zijn er allemaal ingetrapt.'

'Kunnen we nog iets doen?' vroeg Amalia.

'Ik weet het niet. Maar laten we het toch maar proberen. We hebben niet veel tijd meer,' zei Jaap. 'Over een paar uur zijn we in Bergen op Zoom. Dan zullen we wel zien wat er gebeurt.'

Luisterend naar het ke-denge-deng van de wielen op de rails, probeerde Amalia zich er een voorstelling van te maken. Zou het Raaf lukken te ontkomen met zijn fortuin?

Bergen op Zoom

Het werd al donker toen de trein puffend en fluitend het station van 's Hertogenbosch binnenreed. De ondergaande zon zette de wolkenhemel in een paarsrode gloed.

De perronchef voorzag hen van brood, worst en slappe koffie. Amalia dacht aan haar medereizigers. Zouden die nu uitgebreid gaan dineren in de restauratiewagen?

Om een hoekje glurend zag ze dat de deuren van het eersteklasrijtuig gesloten bleven. Ook Raaf liet zich niet zien.

'Alles goed?' informeerde de perronchef bij de machinist.

'Het zijn rare tijden,' klonk het antwoord. 'In Amsterdam is een grote hoeveelheid juwelen ontvreemd. En geloof het of niet, ik heb een trein vol verdachten aan mijn broek hangen. Even dacht ik dat we de hele dag in Utrecht zouden blijven staan. Maar gelukkig mochten we uiteindelijk vertrekken.'

'Ik heb het gehoord,' zei de perronchef. 'Via de telegraaf kreeg ik het bericht door.'

Amalia spitste haar oren. Wat wist de perronchef allemaal? Maar het gesprek stokte. Er werden voorbereidingen getroffen voor vertrek.

'Meneer, meneer, mag ik u iets vragen?' Jaap was opgesprongen en wenkte naar de perronchef. Die kwam langzaam dichterbij.

'Ja?'

Jaap wachtte tot de man vlak bij de locomotief stond, toen boog hij zich voorover en zei op zachte toon: 'Kunt u die telegraaf ook gebruiken om een bericht te sturen naar het station van Bergen op Zoom?'

'Dat zou kunnen. Maar wat zou ik dan moeten berichten?'

'Ik hoorde u met de machinist praten over die juwelenroof. Die juwelen zaten in een kist. En die kist staat bij ons op de trein.'

Amalia zag de perronchef met een schuin oog naar de stoker kijken. Die liep met een oliespuit langs de stangen en wielen die Jaap had aangeduid als drijfstangen en drijfwielen.

'En wat wil je dan dat ik doe?' informeerde de perronchef.

'Kunt u niet uw collega's in Bergen op Zoom waarschuwen? Wij vermoeden dat die kist daar zal worden afgehaald.'

De perronchef aarzelde een ogenblik. Toen vroeg hij wantrouwend: 'Wie bedoel je met *wij*?'

Jaap wees naar Amalia. De perronchef fronste zijn wenkbrauwen. 'Mag ik vragen wat dat meisje daar uitvoert, tussen de kolen?'

'Ik weet ervan.' Dat was Jaaps vader. 'Deze jongedame wil graag iets te weten komen over het leven bij het spoor. Ze wordt de eerste vrouwelijke stoker.'

'Of misschien wel machinist,' zei Jaap.

De perronchef nam genoegen met deze uitleg. Hij tikte met zijn vingers tegen de pet en zei: 'Een goede reis.' Toen liep hij terug naar het stationsgebouw.

Jaap werd weer aan het werk gezet. Amalia keek hoe hij zich in het zweet werkte. Schep na schep verdween in de mond van de stoommachine. Hoeveel jaar zou hij dit moeten doen voor hij zou opklimmen tot stoker of machinist? Ze kreeg steeds meer bewondering voor de jongen. Jaap wist wat hij wilde. Hij had een droom. En hij zou er alles aan doen om die droom te realiseren.

Toen hij de kans kreeg weer naast haar te gaan zitten, zei ze plagend: 'Dag, machinistje.'

'En jij?' vroeg Jaap. 'Word jij later een deftige mevrouw, met een eigen buitenhuis? Dan ben je vast en zeker getrouwd met een rijke handelaar in aandelen. Je kinder-meisje zorgt voor je kinderen. En je man...'

'Nee,' zei ze plotseling, feller dan de bedoeling was. 'Ik heb ook een droom. Ik ga naar de universiteit. En dan word ik dokter.'

'Ik wist niet dat meisjes konden gaan studeren,' zei Jaap plagerig.

Ze wierp hem een boze blik toe. 'Dat kan wel. Er is een vrouw, die heet Aletta Jacobs. Ze is afgestudeerd als arts. Heel veel vrouwen gaan naar haar toe om door haar gehol-pen te worden. Wat weten mannen nou van vrouwen?'

Daar had Jaap geen antwoord op.

De trein begon vaart te minderen. Wat zou het volgende station zijn?

'Bergen op Zoom,' zei Jaap.

Ze schrok ervan. Zou hier de ontknoping plaatsvinden van het juwelenavontuur? En als dat zo was, zouden Jaap en zij er iets aan kunnen doen? Of waren ze machteloos?

De machinist liet de trein langzamer en langzamer rijden. Samen met Jaap gluurde Amalia naar buiten, naar het nade-rende perron. Jaap wees. Maar ze wist niet goed waarnaar.

Toen zag ze het. In een beschaduwde hoek van het perron kwamen twee mannen langzaam in beweging. Zo te zien hadden ze daar al uren rondgehangen. De grond lag bezaaid met afval. Een van de mannen pakte een platte kar en begon die in de richting van de trein te duwen.

'Ze komen voor de kist,' zei Jaap overbodig.

Piepend en knarsend kwam de locomotief tot stilstand. De deur van het eersteklasrijtuig ging open. Eerst kwamen de twee hoge hoeden naar buiten. Ze keken oplettend om zich heen. Toen volgden madame Lebreton en de gravin die eigenlijk een keizerin was. Het gezelschap moest hier onge-twijfeld overstappen op de trein naar Vlissingen, waarvan-daan een boot hen naar Engeland zou brengen.

Maar Amalia had alleen maar oog voor de twee mannen en hun kar. Het waren heel gewone mannen, met snorretjes en petten. Ze zagen er niet uit als de meesterdieven die Amalia had verondersteld te zien. Tussen alle mensen die op het station rondliepen bewogen ze zich langzaam in de rich-ting van de bagagewagon.

Even verdwenen ze buiten haar blikveld. Toen zag ze de kist. Hij werd naar buiten gedragen door... Zag ze dat goed? Het waren Enrico, de kok, en Jack Forester, de zakenman, die hielpen om de kist op de kar te zetten.

'Dank u wel voor de hulp,' zeiden de twee mannen beleefd. En ze begonnen de kar met de kist in de richting van de uitgang te duwen. Ze werden daarbij nagekeken door de kok en de zakenman.

Ze keek naar de jongen naast haar. 'Het gaat Raaf lukken!' fluisterde ze. 'Moeten we niet iets doen?'

'Ik zou niet weten wat,' was het antwoord. 'We kunnen ons er maar beter niet meer mee bemoeien. Raaf heeft een wapen.'

'Waar zou hij zijn?' vroeg ze zich hardop af.

'Misschien durft hij niet naar buiten te komen,' zei Jaap. Toen boog hij zich opeens gespannen naar voren.

'Kijk, de perronchef komt eraan.'

Hij had gelijk. De perronchef beende met grote passen op de twee mannen met hun kar af.

'Je plan is gelukt!' zei Amalia. 'De perronchef van Den Bosch heeft zijn collega gewaarschuwd. Kijk, daar komt ook politie aan. Nu komt alles in orde.'

De perronchef hield de mannen met de kar staande. De agenten van politie keken toe. Er ontstond een heftige discussie. De perronchef begon met een ijzeren staaf aan het deksel van de kist te wrikken. Er klonk een schreeuw.

Het publiek stroomde toe om zich met de zaak te bemoeien. Amalia en Jaap rekten zich steeds verder uit om toch niets te hoeven missen.

'Zitten blijven!' gebood Jaaps vader hen.

Nu zagen ze niets meer van wat er gebeurde.

'Dat was het dus,' zei Jaap na een poosje.

'Wat zou er gebeurd zijn?' vroeg Amalia.

'Ik zag die man nog uit de kist stappen.'

'En die andere twee mannen? Werden die gearresteerd?'

Jaap schudde zijn hoofd. 'Volgens mij zag ik ze tussen de mensen verdwijnen.'

Amalia richtte zich op om nog eens uit het raam te kijken.

Iedereen was weg. Alleen de kist stond nog op de kar, met het deksel ernaast.

Wat zou de man met de geruite broek aan de politie vertellen?

De machinist en de stoker begonnen hun voorbereidingen te treffen voor het vertrek.

'Daar gaat Enrico!' riep Jaap. Hij wenkte de kok.

Die kwam over het perron naar de tender lopen. 'Hebben jullie honger?' vroeg hij vrolijk.

'We snappen er niets van,' zei Amalia vlug. 'Waarom gebeurt er niets?'

'Waarom gebeurt er niets? Er gebeurt genoeg. Het is gelukkig allemaal met een sisser afgelopen. Eerst werd ik nota bene verdacht van betrokkenheid bij die juwelenzaak. Maar nu blijkt er niets aan de hand te zijn. Er lagen helemaal geen juwelen in die kist. Alleen die man. Niemand snapt waarom iemand zo gek is om zich in een kist te verbergen, maar de perronchef zei dat het nu eenmaal niet verboden is. Er is voor het vervoer betaald. Wat er in de kist zit, maakt niemand iets uit.'

Amalia was verbijsterd. 'En die tas dan? En dat koffertje?' riep ze uit.

De kok haalde zijn schouders op. 'Ik weet niet waar je het over hebt.' Hij begon terug te lopen naar de deur van zijn restauratiewagen.

'Het is een grijze tas, met groene ruiten,' riep Jaap. 'En dat koffertje is van leer. Krokodillenleer.'

Op het perron werd het vertreksein gegeven. De deuren van de rijtuigen werden een voor een afgesloten. De machinist en de stoker namen hun plaatsen in.

Plotseling kwam Enrico teruglopen. Hij hees zich een stukje omhoog aan het trappetje van de locomotief en vroeg met een hese stem: 'Weten jullie dat zeker, van die tas en van dat koffertje?'

Jaap knikte heftig.

'Ik heb die tas en dat koffertje gezien,' zei de kok. 'Kom mee.'

Amalia en Jaap sprongen op. Jaap hielp haar het trappetje af. Eenmaal op het perron holden ze achter Enrico aan.

'Waar gaan jullie naartoe?' riep Jaaps vader.

'We moeten Enrico helpen!' riep Jaap terug.

De ontknoping

Enrico ging voorop. Bukkend slopen ze langs het eersteklasrijtuig.

Eenmaal aangekomen in de restauratiewagen zei Enrico: 'Raaf is in gesprek met Mary Debenham. Zij probeert hem uit te horen. En hij zit op te scheppen over de ontknoping van het complot.'

'Dat zal wel een mooi verhaal worden,' zei Jaap.

'Maar er klopt helemaal niets van,' zei Amalia.

'De mensen houden vooral van verhalen die niet waar zijn,' zei Jaap wijs.

De kok nam hen mee naar de voorraadkast.

Daar stonden, in een hoekje, een geruite tas en een leren koffertje.

Amalia deed een stapje opzij zodat Jaap goed kon kijken.

Jaap knikte. 'Dat zijn ze.'

'Wat is het volgende station?' vroeg Amalia.

'Antwerpen,' antwoordde de kok.

'Daar zijn we over ongeveer een uur,' zei Jaap.

'Dan hebben we een uur de tijd om een oplossing te bedenken,' zei Amalia.

Plotseling verscheen het gezicht van juffrouw Elisabeth in de deuropening. 'Enrico, heb je misschien...'

Toen zag ze Amalia. Ze gaf een gilletje.

'Wat doe jij hier?'

'Ssst,' deed Enrico.

Achter de gouvernante klonk de stem van Raaf: 'Ik heb nog zo gezegd dat ik niemand bij de keuken wil hebben!'

Enrico duwde juffrouw Elisabeth terug in de richting van het andere rijtuig. Op luide toon zei hij: 'Ik ben nu even bezig. Ik kom u zo helpen.'

Voor ze zich liet meevoeren draaide de gouvernante zich om en keek Amalia vragend aan.

'Juffrouw Elisabeth, wilt u ons alstublieft niet verraden?' vroeg Amalia smekend.

Jaap en Amalia zaten alleen in de keuken. Ze hadden zich in een hoekje genesteld, achter het fornuis. Ze wilden de kans dat Raaf hen zou vinden zo klein mogelijk maken.

'En wat nu?' vroeg Jaap zich hardop af.

'We moeten slimmer zijn dan Raaf,' zei Amalia.

'Hoe?'

'Enrico moet Raaf vergiftigen.'

'Echt een meisjesplan. Waarmee?'

Amalia keek om zich heen.

Jaap had gelijk. In Enrico's keuken waren vast geen gifstoffen aanwezig.

'Alle sterke mannen moeten samen proberen Raaf te overmeesteren en in de boeien slaan,' opperde Jaap.

'Echt een jongensplan. Met welke boeien?'

Het duurde even eer een van beiden met een nieuw plan op de proppen kwam.

'Opsluiten,' zei Jaap.

'Raaf in een kist,' zei Amalia.

'Of in een kast.'

'De voorraadkast.'

'We moeten hem de kast in lokken.'

'Nee, dat moet Enrico doen. Enrico lokt hem deze kant op...'

Amalia vulde hem aan: '... en dan springen wij tevoorschijn, duwen hem de kast in en doen de deur achter hem op slot.'

'Verzin een goede reden om Raaf in de voorraadkast te laten kijken.'

Weer was het een lange tijd stil. Enrico kwam terug de keuken in om thee te zetten en alcoholische drankjes in te schenken. 'Kunnen we hem niet dronken voeren?' vroeg Amalia op fluistertoon.

'Echt een meisjesplan,' gaf Jaap als commentaar.

Enrico verdween met de cocktails op een zilveren dienblad.

Hij was nog niet weg of ze hoorden het stemmetje van Lodewijk: 'Joehoe, zitten jullie hier?'

Juffrouw Elisabeth had haar mond niet kunnen houden. Wie waren er nog meer op de hoogte van hun aanwezigheid in de keuken?

Jaap stak zijn hoofd om het hoekje van het fornuis.

'Kom eens, je moet ons helpen,' zei hij.

Aan de glinsterende ogen van Lodewijk was te zien dat hij niets liever wilde.

'Luister,' zei Jaap. 'In de voorraadkast staat een tas. Zodra Enrico terug is en opnieuw iets gaat rondbrengen, neem jij die tas en sluip je achter hem aan naar het eersteklasrijtuig. Je zorgt dat je je verstopt houdt achter de rug van Enrico. Zonder dat Raaf het ziet, zet je die tas naast juffrouw Elisabeth.'

Amalia luisterde ademloos naar het plan dat Jaap ontvouwde.

'En dan?' fluisterde ze.

'Lodewijk moet wachten tot Raaf in de buurt is. Dan

moet hij luid en duidelijk zeggen: "Zeg juffrouw Elisabeth, hoe komt u aan die tas? Die is toch niet van u?"'

'En dan?' fluisterde Lodewijk.

'Dan raakt Raaf totaal over zijn toeren. Hij zal zo snel mogelijk willen weten of die tas dezelfde is als de tas in de voorraadkast.'

'En als hij de tas openmaakt?' vroeg Amalia.

'Geeft niets,' zei Jaap laconiek. 'Dan zal hij zo snel mogelijk willen weten of de koffer nog wel in de voorraadkast staat.'

'Geniaal,' zei Amalia. 'Maar durft Lodewijk hier aan mee te doen?'

'Ik wel,' zei Lodewijk. 'Ik moet gewoon die tas aan juffrouw Elisabeth geven zonder dat het opvalt.'

Ze wachtten tot Enrico terugkwam.

'Wanneer ga je weer iets rondbrengen?' vroeg Amalia.

'Zo dadelijk,' luidde het antwoord. 'Forester vraagt om een kaasplateau. En Raaf wil champagne. Hij heeft iets te vieren. Waarom wil je dat weten?'

Jaap vertelde hem wat de bedoeling was.

'Waar zit Raaf?' informeerde Amalia.

'Die zit nog steeds bij Mary Debenham in de rookcoupé,' zei Enrico.

'Mooi,' zei Amalia. 'Dan moet Lodewijk ongezien de tas bij juffrouw Elisabeth kunnen krijgen.'

'Is het niet een beetje gevaarlijk wat jullie van plan zijn?' vroeg de kok zich hardop af.

'We zijn niet bang,' zei Jaap.

Enrico zette een bord met stukjes kaas op zijn dienblad. Hij pakte een fles champagne uit de voorraadkast en zette die in een koeler. Het moment om in actie te komen was aangebroken. Amalia stond op en reikte naar de tas in de kast. De tas was veel zwaarder dan ze had verwacht. Hij moest werkelijk propvol juwelen en edelstenen zitten. Kon Lodewijk dit gewicht wel torsen?

'Sleep hem maar achter je aan,' zei Jaap.

Enrico vertrok.

'Is het misschien beter om het licht uit te doen?' vroeg Amalia.

Enrico draaide het licht uit.

Amalia en Jaap keken de vreemde optocht na. De kok voorop. Lodewijk kon zich gemakkelijk verstoppen achter de breed uitwaaierende voorschoot van Enrico.

'Als dat maar goed gaat,' zei Jaap.

'Het gaat goed,' zei Amalia. Het klonk meer als een bezwering dan als een overtuiging.

In het donker van de keuken wachtten ze af. Dat wachten duurde niet lang, want al snel hoorden ze woeste voetstappen hun kant opkomen.

'Wie is er in de voorraadkast geweest? Ik wil niet dat er iemand met zijn poten aan mijn spullen komt.' Krijsend stortte Raaf zich op de deur van de voorraadkast. Met een klap schoof hij de deur open en riep: 'Zie je wel, dat wijf heeft mijn...'

Voor de detective zich kon omdraaien, sprongen Amalia en Jaap tevoorschijn, gaven de man een zet en begonnen aan de kastdeur te trekken. Het ging moeilijker dan ze hadden gedacht: Raaf verzette zich uit alle macht. Schreeuwend en tierend bood hij zoveel weerstand dat het er steeds meer naar uit ging zien dat Amalia en Jaap het onderspit zouden delven.

Het was Enrico die hen te hulp schoot. In zijn kielzog kwamen ook juffrouw Elisabeth, Forester en Mary Debenham het gangetje in. Iedereen wilde helpen of het zijne weten van de gebeurtenissen.

Met Enrico's hulp viel de kastdeur krakend in het slot.

Antwerpen

De trein denderde door het Brabantse land. Eerst dat van Nederland, toen dat van België. Antwerpen kon niet ver meer zijn.

'Wat is er gebeurd?'

'Hoe wisten jullie dat Raaf...?'

'Hoe is het mogelijk!'

'Dat uitgerekend die Raaf...'

Alle reizigers bemoeiden zich met de zaak. Nu Raaf veilig zat opgesloten, probeerde iedereen de ware toedracht te achterhalen. Het was een heel gedrang in het gangetje.

De detective smeekte om uit de kast gelaten te worden. 'Ik kan er niet tegen om opgesloten te worden,' kermde hij.

'Dan was het niet bepaald aardig van u om die arme man in een kist te stoppen,' zei Jaap.

'Dat heb ik helemaal niet gedaan,' zei Raaf. 'Ik kwam die man op het spoor toen ik in opdracht van het diamanthuis onderzoek moest doen naar een paar vage geruchten. Er was een grote kans dat een van de medewerkers de zaak zou beroven. Laat me er alsjeblieft uit. Ik doe alles wat jullie zeggen.'

'Straks misschien,' zei Amalia. 'Vertel eerst maar wat er verder gebeurde.'

'Die medewerker had ik al snel gevonden. Ik wachtte rustig af. Stap voor stap bracht hij zijn plan ten uitvoer. Gisteravond verliet hij het pand met de koffer en de tas. Vanochtend nam hij de trein. In Utrecht heb ik hem opgewacht. Ik kende zijn signalement: klein mannetje, snor, ruit-broek. Even was ik het spoor bijster. Kennelijk heeft hij mij of mijn broer gezien. Maar vlak voor de trein vertrok, kwam ik erachter dat hij zich in een kist had verstopt.'

'En waarom heeft u hem toen niet ontmaskerd?' wilde Jaap weten.

Ze hoorden de detective in de kast zuchten. 'De verleiding was te groot.'

'Wat zegt hij?' wilde Forester weten. Hij stond helemaal achteraan.

'Hij zegt dat hij de verleiding niet kon weerstaan om de juwelen zelf buit te maken,' legde Enrico uit.

'En Van Hasselt dan, wat had die met de zaak te maken?' informeerde Forester.

'Niets,' antwoordde Amalia. 'De hele dag heeft Raaf geprobeerd om valse beschuldigingen rond te strooien. Hij moest er alles aan doen om te voorkomen dat hij zelf ver-dacht zou worden. En dus maakte hij ons verdacht.'

'Als ik het goed begrijp, heeft hij de tas en de koffer uit de kist gehaald, maar de man laten zitten?' zei Forester. 'Waar-om al die moeite? Hij had de kist kunnen achterlaten. Hij had zelfs die lastige Amalia kunnen achterlaten.'

Even voelde Amalia zich in haar wiek geschoten. Was zij lastig?

Toen klonk aan de andère kant van de kastdeur zacht de stem van Raaf: 'Het moest de perfecte misdaad zijn. Er mochten geen sporen gevonden worden. Als de trein was vertrokken, kon iemand de man in de kist ontdekken en alarm slaan. En ik was bang dat de politie dat vervelende kind zou geloven als zij hun de waarheid zou vertellen. Ik had tijd nodig om ongezien het land uit te komen.'

'Is er dan helemaal geen complot?' vroeg juffrouw Elisabeth. 'Heeft deze man helemaal in zijn eentje de zaak lopen bedotten?'

'Niet in zijn eentje,' antwoordde Amalia. 'Meneer Raaf heeft twee broers. Ze zijn compagnons. Die ene heeft in Utrecht geholpen om de politie buiten de zaak te houden. En de andere...'

'Ja, waar is Raaf nummer drie?' viel Jaap haar bij.

Hij klopte op de kastdeur.

'We willen weten waar Raaf nummer drie is. Was hij in Bergen op Zoom?' vroeg hij.

Er kwam geen antwoord.

'Is hij in Antwerpen?' riep Amalia.

Niets.

'De valserik heeft het allemaal van tevoren uitgestippeld,' zei Forester. 'Hij wist precies wat hij deed. Zijn broer staat vast in Antwerpen klaar om de spulletjes in ontvangst te nemen. Dankzij deze twee kinderen kunnen we daar een stokje voor steken!'

Alle reizigers keken bewonderend naar Amalia en Jaap.

'Lodewijk heeft ons ook geholpen,' zei Jaap.

Meteen klemde de gouvernante de jongen tegen haar boezem. 'Ach, arme jongen. Wat zul je een angst hebben uitgestaan.'

Uit de kast klonken onverstaanbare klanken.

'Wat zegt hij?' wilde Forester weten.

'Het zijn allemaal krachttermen,' verklaarde de kok. 'Het komt erop neer dat hij een hekel heeft aan kinderen. Ze bemoeien zich overal mee. Ze denken altijd dat ze alles beter weten.'

'Is het niet beter weer eens terug te gaan naar onze plaatsen?' stelde juffrouw Elisabeth voor.

111

Enrico viel haar bij.

'Zal ik dan een glaasje champagne serveren om de goede afloop te vieren?' vroeg hij.

'En Raaf?' vroeg Lodewijk.

'Die blijft zitten waar hij zit,' zei Forester. 'In Antwerpen zullen we hem overdragen aan de bevoegde autoriteiten.'

In de coupé kropen Amalia, Jaap en Lodewijk op een bankje bij elkaar.

'Veel plezier bij je vader in Antwerpen,' zei Amalia tegen Lodewijk. 'Ik hoop dat je moeder weer gauw beter wordt.'

'Ik hoop het ook,' zei Lodewijk. 'Mijn vader haat gouvernantes.'

'Veel plezier bij je tante in Parijs,' zei Jaap tegen Amalia.

Ze keken uit het raam naar buiten. Twee paarden renden een stukje met hen mee.

'Veel plezier op de trein,' zei Amalia tegen Jaap.

'Dank je.' Hij legde heel even zijn hand op haar arm. 'Als je weer eens een complot op het spoor komt, ben ik graag van de partij.'

'Ik wil je nog één ding vragen,' zei Amalia. 'Als je later groot bent, neem je dan ook een snor?'

Jaap knikte: 'Een man heeft een snor.'

'Toch niet zo'n knevel met punten?' wilde Amalia weten.

Jaap schudde zijn hoofd: 'Ik neem een heel deftig snorretje. En ik smeer er elke dag snorrenvet in.'

Ongeduldig mengde Lodewijk zich in het gesprek. 'Is het avontuur nu echt afgelopen?'

Jaap keek naar Amalia. 'Jij bent hier de echte detective. Jij mag het zeggen.'

'Om iemand te kunnen arresteren moet je voldoende

bewijzen hebben. Iemand op heterdaad betrappen is natuurlijk het meest overtuigende bewijs dat hij iets heeft gedaan...' zei ze aarzelend.

'Ik heb een voorstel,' riep Jaap opeens enthousiast. 'We maken de tas leeg en overhandigen hem op het station aan Raaf nummer drie.'

'Goed idee,' zei Amalia.

Lodewijk sleepte de grijsgroen geruite tas naar hun bankje en drie paar handen begonnen in de juwelenberg te graaien. Gillend van plezier leegden ze de inhoud in Amalia's koffers. Ze deden er schoenen, kousen en een stapel hemdjes voor terug.

'Voel je dat? We zijn er,' zei Jaap.

Langzaam begon de *Nestor* af te remmen. De trein gleed het station van Antwerpen binnen.

Uit het raam keken ze naar de wachtende mensen op het perron. Een van hen was een lange man die zenuwachtig aan zijn snorretje draaiend stond te wachten. Op een krokodillenleren koffertje en een grijze tas met groene strepen erop.

Amalia hield de tas omhoog voor het raampje.

Enthousiast begon de detective van bureau Raaf, Raaf & Raaf naar haar te zwaaien.

Nawoord

Wat denk je, heb ik dit verhaal over een complot van begin tot eind uit mijn schrijversduim gezogen? Ik zal het je verklappen.

Spittend in het archief van het Spoorwegmuseum in Utrecht, kwam ik het verhaal van de juwelenroof op het spoor. Perronchef Harry Gommers beschrijft hoe in 1887 een man zich in een kist verstopte om zich met de buit uit de voeten te maken.

Sommige personages in het boek heb ik zelf bedacht, of ontleend aan het boek *Moord op de Oriënt-Expres* van Agatha Christie. Wie echter werkelijk in juni 1887 van Amsterdam naar Engeland reisde, is ex-keizerin Eugénie van Frankrijk. Haar echte naam was: Maria Eugenia Ignacia Augustina Palafox de Guzman Portocarrero en Kirkpatrick, negende gravin van Teba. Ze was keizerin van Frankrijk van 1853 tot 1871. Onder de naam gravin van Pierrefonds reisde ze naar Amsterdam om er een dokter te raadplegen.

Robert van Hasselt was lange tijd directeur van het Hollands Spoor. Hij had het niet altijd makkelijk. Er was een moordende concurrentie gaande. Welke maatschappij slaagde erin de meeste spoorlijnen aan te leggen? Welke maatschappij kreeg de stations in handen? Ook de regering bemoeide zich met de aanleg van de spoorwegen. Dat kwam vooral door koning Willem II, die was gek op de trein.

Station Maliebaan lag op de lijn Hilversum – 's Hertogenbosch; een lijn die al snel overbodig werd. Achteraf gezien is
dat maar goed. Nu is in dit station het mooiste spoorwegmuseum ter wereld gevestigd.

De locomotief *Nestor* en de beide rijtuigen die in dit boek
zo'n belangrijke rol spelen, kun je vinden in het Spoorwegmuseum. Misschien kom je perronchef Harry Gommers
wel tegen. En wie weet vind je ook de kist, de koffer en de
geruite tas... Probeer die kist dan niet open te maken, want
je weet maar nooit wat erin zit!

Arend van Dam

Ga de Nestor bekijken in het Spoorwegmuseum

Het adres van het Spoorwegmuseum is:
Maliebaanstation
3581 XW Utrecht
tel. 030 – 230 62 06
www.spoorwegmuseum.nl

Lees ook in deze serie:

Martine Letterie

Aanval op het fort

174. Freija ontmoet op het strand een Romeinse jongen, Marcus. Er is een vreemd monster aangespoeld en ze staan er allebei naar te kijken. Is dit zwarte beest een teken van de goden dat er gevaar dreigt? En van wie zijn die vreemde schepen die ze later aan de horizon zien?

Freija blijkt vlak bij het fort te wonen waar Marcus' vader soldaat is. Dat fort moet de grenzen verdedigen van het Romeinse rijk, en ook het dorp van de Cananefaten waar Freija woont. Maar als het fort wordt aangevallen, doen Freija en Marcus wat de volwassenen nalaten...

Arend van Dam

Schildknaap op het Muiderslot

Op 15 juni 1296 komt Witte van Heusden aan op het Muiderslot, het kasteel van Floris de Vijfde.
Hij verwacht er schildknaap te worden van de slotvoogd. Maar tot zijn teleurstelling wordt het vooral hard werken:
hij is het knechtje van iedereen. Een jongen die zijn vader niet kent is een bastaard. En wat heeft een bastaard voor toekomst?
Dan wordt Graaf Floris op een dag gevangengezet binnen zijn eigen muren. Hoe kan Witte hem helpen?